C0-ANU-080

세계 탐험 만화 역사상식 19

캐나다에서 보물찾기

세계 탐험 만화 역사상식 19

캐나다에서 보물찾기

글 곰돌이 co. | **그림** 강경효 | **채색** 윤일형, 박현희 | **사진** Shutterstock, TIMESPACE, 연합뉴스, 조선일보사
펴낸날 2008년 11월 25일 초판 1쇄 | 2020년 8월 31일 초판 11쇄
펴낸이 김영진 | **대표이사** 신광수 | **본부장** 강윤구 | **개발실장** 위귀영 | **사업실장** 백주현
기획 · 편집 김다은, 조은지, 김수지, 노보람, 손주원, 한정아, 변하영
디자인팀장 박남희 | **디자인** 김리안
아동마케팅팀장 박충열 | **아동마케팅** 김세라, 민현기, 김무현, 정재성, 강륜아, 김보경, 이강원, 허성배, 정슬기, 설유상, 정재욱
출판기획팀장 이병욱 | **출판기획** 이주연, 이형배, 강보라, 김마이, 이아람, 이기준, 전효정, 이우성
펴낸곳 (주)미래엔 서울특별시 서초구 신반포로 321 | **문의** 미래엔 고객센터 1800-8890 팩스 02)541-8249
출판등록 1950년 11월 1일 제16-67호 | **홈페이지** www.mirae-n.com

ⓒ 곰돌이 co. · 강경효 2008
저작권자의 동의 없이 무단 복제 및 전재를 금합니다.
*본 도서는 역사적 사실과 근거를 바탕으로 지은 픽션입니다.

ISBN 978-89-378-4205-4 77900
ISBN 978-89-378-1355-9(세트)

파본은 구입처에서 교환해 드리며, 관련 법령에 따라 환불해 드립니다. 다만, 제품 훼손 시 환불이 불가능합니다.
값은 뒤표지에 있습니다.

세계 탐험 만화 역사상식 19

캐나다에서 보물찾기

글 곰돌이 co. | 그림 강경효

Mirae N 아이세움

펴내는 글

캐나다는 북아메리카에 위치한 세계에서 두 번째로 큰 나라입니다. 국토의 전체 면적이 남한의 101배에 달하며, 수많은 강과 호수, 높고 험준한 산맥과 넓은 평야, 툰드라 등 다양한 자연환경을 자랑합니다. 하지만 넓은 땅에 비해 인구는 매우 적습니다. 약 3천 2백만 명의 전체 인구 중 많은 수가 남동쪽 도시에 모여 살며, 사람이 거의 살지 않는 땅도 많습니다.

캐나다 인구의 80%가 살고 있는 대도시들은 미국과 국경이 맞닿아 있습니다. 캐나다에 비해 인구가 열 배나 많고 강대국인 미국은, 사회와 문화 전반에 걸쳐 캐나다에 많은 영향을 주고 있습니다. 또 두 나라 모두 과거 영국의 식민지였고 이민자들이 세운 나라라는 역사적 배경에서 비슷한 점이 많습니다.

하지만 캐나다의 이민 정책은 이민자들의 고유문화와 전통을 포용하는 다문화 정책으로, 고유문화를 버리고 미국 사회에 동화시키는 미국의 용광로 정책과 구별되며, 흔히 '모자이크 문화'라 불립니다. 이러한 독특한 문화 속에서 캐나다인들은 포용과 관용이 있는 여유롭고 자유로운 사회를 만들었고, 이는 풍요로운 자연환경, 천혜의 자원과 함께 캐나다를 살기 좋은 나라로 손꼽히게 하였습니다.

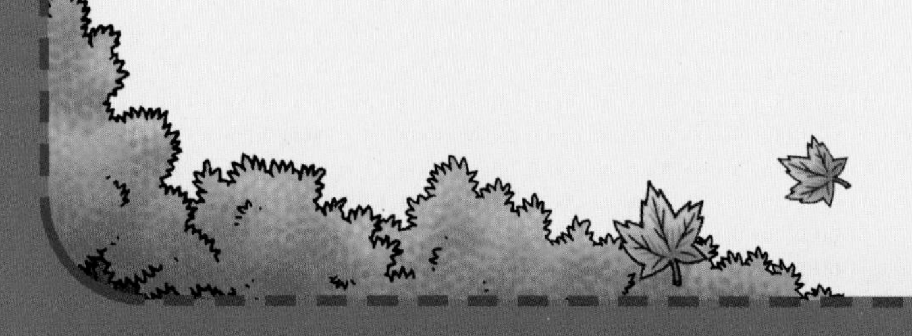

주인공 토리는 유학 중인 사촌 형을 만나러 캐나다에 왔다가,
태국에서 만난 카트린느의 제안으로 16세기에 캐나다를 탐험한 프랑스
자크 카르티에 선장의 보물을 찾아 나섭니다. 하지만 자칭 보물 탐정이라며
떠벌리는 카트린느에게 끌려다니느라 고생하고, 오랜만에 나타난 봉팔이
일당의 훼방 때문에 이번에도 보물찾기의 길은 순탄하지 않아 보입니다.
과연 토리는 무사히 자크 카르티에 선장의 보물을 찾을 수 있을까요?
여러분도 보물찾기 짱 토리와 함께 보물의 정체를 맞혀 보세요!

2008년 11월
지은이 곰돌이 co. · 강경효

차 례

등장인물 소개

도토리

보물을 찾아 세계를 여행하고 모험을 즐기는
아이큐 180의 보물찾기 짱.
사촌 형 우리를 만나러 간 캐나다에서 팡이의
요청으로 마드모아젤 C와 함께 보물을 찾는다.
보물을 찾는 내내 그만두고 싶어 하지만,
보물찾기 짱의 본능으로 부지런히 캐나다를 누빈다.

토리가 생각하는 캐나다의 보물
신나는 아이스하키, 광활하고 아름다운 자연.

보물찾기 포인트 10
이집트, 그리스, 러시아, 독일, 호주, 터키,
스페인, 태국, 네덜란드, 멕시코.

카트린느

프랑스의 부유한 귀족 가문의 딸로,
곱게 자라 제멋대로인 말괄량이.
운 좋게 카르티에 선장이 찾던 보물의 단서를
손에 넣게 되자, 보물찾기 짱에게 도움을
청한다. 보물 탐정의 명함을 내세우며 보물찾기
짱에 도전하지만, 결국 봉변을 당하고 만다.

카트린느가 생각하는 캐나다의 보물
하늘에서 내리는 황금과 보석,
맛있는 메이플 시럽.

보물찾기 포인트 1.5
프랑스, 태국 1/2.

집사

카트린느를 물심양면으로 돌보는
기즈 가문의 집사.
천방지축 카트린느가 사고를 칠 때마다
뒷수습에 허리가 휘지만, 평생 돌봐 온
애정으로 자나 깨나 카트린느 걱정뿐이다.

집사가 생각하는 캐나다의 보물
캐나다의 자연 아래 빛나는
카트린느 아가씨.

보물찾기 포인트 1.5
프랑스, 태국 1/2.

도우리

아이스하키로 캐나다에 유학 온
토리의 사촌 형.
토리가 보물을 찾겠다고 나서자
걱정이 되어 만나러 갔다가
못 볼 장면을 보고 만다.

우리가 생각하는 캐나다의 보물
아이스하키와 깨끗한 자연.

빌리

우리의 친구이자 같은 아이스하키 팀
선수인 이누이트 소년.
자신의 고향에서 보물을 찾으려는
토리에게 많은 도움을 준다.

빌리가 생각하는 캐나다의 보물
이누이트의 문화, 캐나다의 밤하늘.

봉팔이

세계의 보물을 찾아 부와 명예를 얻고자 하는
자칭 트레저 러버. 계속된 보물찾기 실패로
현재 빈털터리 상태이다. 카트린느의 허영심을
이용해 보물을 빼앗으려는 음모를 꾸민다.

봉팔이가 생각하는 캐나다의 보물
부와 명예를 가져다 줄 카르티에 선장의 보물.

보물찾기 안티 포인트 12
이라크, 프랑스, 중국, 인도, 이집트,
미국, 일본, 그리스, 독일, 호주,
영국, 스페인.

그 외 조연들

타고난 직감으로 토리를
카트린느에게 보내는 **지팡이.**

고집은 세지만 천진한 미소의
울루타 할머니.

쟝과 얀센

매번 보물찾기에 실패하는 봉팔이를
믿고 따르며 충성을 다하는 부하들.
열의에 비해 머리와 몸이 따라 주질 않아
봉팔이를 초라하고 불쌍하게 만든다.

쟝과 얀센이 생각하는 캐나다의 보물
보스의 체면을 세워 줄 카르티에 선장의 보물.

보물찾기 안티 포인트 9
이라크, 프랑스, 중국, 미국, 일본,
그리스, 독일, 영국, 스페인.

제 1 장

헬로우 캐나다
봉주르 캐나다

와아 와
꿀꺽~

와
SUPER EAGLES
WOLF
2 : 3
TIME:16:30
10:19
와
아, 시간이
얼마 안 남았는데…….
언제 따라잡지?

버럭
힘내, 우리 형!
파이팅,
슈퍼 이글스!!

울프!
울프!
파이팅!!
헉!

에잇!
우리 형,
파이팅!!

캑, 캑!
아이고, 목이야.
KOBE
16
촤아악

타~악
KOBEE
16
28
차아악~

빌리!
타앙
처억
오예, 잘했어!
제발 한 골만~!
3:3
타악
철썩
와아,
동점이다!

서울
아니, 이 조교!
이라크 자료가
왜 중국 쪽에 있어?

자료 정리를
어떻게 한 건가!
또 수다 떨면서
입으로 했나!
저도 사람인데
그 정도 실수는
할 수 있잖아요~.
홱

하여튼 노총각
히스테리…….
방금 뭐라고
했나?!
나 귀 밝다고!

그리고 팡이 넌
왜 여기서 컴퓨터를
하고 있는 거야!
집에 있는 컴퓨터
고장 났으면
고치면 되잖아!
크아아
…….

이 녀석!
이젠 삼촌
말씀을
귓등으로도
안 듣는
게냐?!
메일…….

이, 이메일 좀
보시라고요!!
매일
그랬다고?!
아야야…

두두그둥
자크 카르티에 선장의
보물을 찾아주세요.
단서가 될 만한 일기장과
지도를 갖고 있답니다.
자세한 얘기는 만나서 할게요.
장소 : 캐나다 퀘벡 시 카르티에 공원
날짜 : 2008년 XX월 XX일.
저녁 6시
마드모아젤 C.
아니,
이건…….
자크 카르티에
선장의 보물이라고?!
네?
보물이오?
휙
드디어
캐나다의 보물을
찾는 건가요?
음,
자크 카르티에 선장은
처음으로 캐나다를
탐험한 프랑스인이지.
흠….
네? 교수님!
삼촌, 보낸 사람을
좀 보세요.
카르티에 선장의
을 찾아주세요.
서가 만한 일기장과
지도 를 갖고 있답니다.
세한 얘기는 만나서 할게요.
장소 : 캐나다 퀘벡 시 카르티에 공원
날짜 : 2008년 XX월 XX일.
마드모아젤 C?
팡이 네가
아는 사람이니?
제가 알면
삼촌한테
물어보겠어요?
마드모아젤 C.

어머, 마드모아젤이라면 여자에게 붙이는 불어 호칭이잖아요?
어쨌든 발신자가 여자일 가능성이 높구나.
저처럼 결혼 안 한 아름다운 여자에게 붙이는!

그런데 왜 이름을 안 밝혔을까?

좀 의심스럽지 않아요? 누가 장난친 것 같기도 하고…….
확 무시하고 싶어요. 어쩐지 예감이 불길하다고요!

오싹
다른 것보다 알파벳 C에서 왠지 모를 불길한 기운이 느껴져요.
제 직감이 여기엔 손대지 말라고 얘기하고 있어요.

그, 그래. 유네스코에서 부탁한 것도 아니고, 보물이라고 꼭 찾으러 갈 필요는 없겠지.
하하하
메일 하나 때문에 캐나다까지 가기도……. 아! 토리가 캐나다에 가지 않았니?
맞아요, 캐나다로 유학 간 사촌 형을 만나러 몬트리올에 갔어요.

몬트리올이면……, 퀘벡까지 기차로 두 시간 거리지.
마 드 모 아
그럼 우린 안 가는 거예요?

PIZZA
챙!
축하해!

비겼는데
축하는 무슨.
흥~
질 뻔한 경기를 비겼으면
이긴 거나 다름없지. 사실
상대 팀이 더 잘하던걸?
뭐야?
토리 말이
맞잖아.
찌릿
울프는 우리보다
실력이 좋은 팀이야.
우승 후보거든.
와, 정말요?
그럼 오늘
형네 팀이
진짜 잘한 거네!

우리 팀에도
에이스 빌리가 있으니
만만하진 않다고!
너도 대단하지.
우리 팀 막강 수비수
도우리!
우리 형도 잘했지만,
빌리 형은 돌파력이
정말 뛰어나던데요?
누이 좋고
매부 좋고~.
푸하하하
형도 유학생이죠?
집이 어디에요?
응?
빌리는
캐나다 토박이야.

아, 정말요?
우리랑 비슷하게
보여서…….
아시아 유학생인 줄
알았어요.
하하,
우리도
몽골계니까
한국인이랑
비슷하긴 해.
난
이누이트인이야.

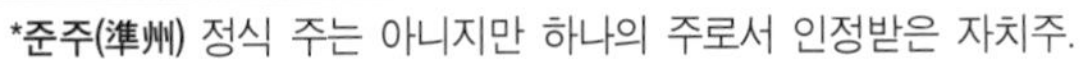
***준주(準州)** 정식 주는 아니지만 하나의 주로서 인정받은 자치주.

NHL(National Hockey League)!
북아메리카 아이스하키 리그 말이죠?
일명 스탠리컵!
세계 최고의 프로 아이스하키 대회로
1917년 미국과 캐나다의 팀들이 결성했죠.
원래 아이스하키는 캐나다가 종주국이지만,
미국 팀이 훨씬 많이 참가하고요.
NHL
떠벌
떠벌
떠벌
또 또 시작이군~ 우리도 아는 얘기를…
……

최근 우승 팀은…….
엥?
RRRR
척

여보세요?
팡이구나,
웬일이야?
너 몬트리올에 있지?

맞아, 자랑은 아니고
좀 전에 아이스하키
경기도 봤어.
정말 박진감
넘치더라~.
부럽지?
조잘
조잘
……?

자랑은 나중에 해.
지금은 보물을 찾는 게
급선무라고!
뭐, 보물?!
자세히
말해 봐!
버럭

너 자크 카르티에
선장 알지?
캐나다를…….
캐나다를 맨 처음
탐험한 프랑스 사람이지!
1534년 4월, 137일간의
첫 번째 항해를 시작했고.
조잘 조잘
조잘 조잘
그 다음 해, 두 번째 항해에서
'캐나다' 라는 이름을 지었지.
1541년에는 마지막 항해를
했고 말이야.
…….
전화 그냥
끊을까…….
그런데
보물이라니?
이번엔 뭐야?
아, 혹시
원주민에게서 들은
보물 얘기 아니야?
카르티에
선장이
원주민에게…….

두 번째 항해 때
자크 카르티에 선장에게
이쿼로이족 추장이 말한,
황금과 보석이
가득한 나라 말이구나!
푸헤헤
부들
도, 도저히
참을 수 없어!
부들
야, 잘난 척은
찾아 달라는 사람
만나서 해!
버럭
뭐? 누가 찾아 달라고
한 건데?
마드모아젤 C라는 사람이야.
정확한 신원은 알 수 없지만
퀘벡의 카르티에 공원에서
오늘 6시에 만나재. 한번 가 봐.
웬일이냐?
네가 나한테
양보를 다 하고?
아하, 알겠다!
너 자신 없는 거지?
역시 진정한 보물찾기 짱은
나라니까!
하하하
네가 지금
캐나다에 있잖아!
이 잘난 척 대마왕아!!
울컥

이 형님께서
무사히 보물을 찾아
돌아갈 테니까,
집에서 라면이나 먹으면서
기다리라고!
딱
이야아아아아!!
우하하하
어휴, 이 녀석을
그냥~.
아, 라면 얘기 하니까
먹고 싶긴 하다~.
크윽
쓰읍
우리 형!
나 일이 생겨서
가 봐야겠어.
갑자기 어딜?
어디긴,
보물 찾으러
가는 거지!
크하하하하
……
연락할게,
빌리 형도
다음에 또 봐요!

퀘벡, 카르티에 공원
두리번
두리번
마드모아젤 C라고?
C는 카르티에의
알파벳 머리글자니까
카르티에의 후손일 수도.
아, 마드모아젤이라면
여자가 분명해.
그렇다면 혹시…….
토리 군처럼 멋진
보물찾기 짱을 만나
정말 기뻐요.
하아
하아
흐흐흐흐흐

약속 시간이
거의 다 됐는데
왜 안 오지?
흠흠…
……
툭
툭
앗!
카트린느!
놀랐지~!
호호호호~
끼야악
마, 마드모아젤 C가
카트린느의
앞 글자였던 거야?!
딩동댕~.
봉주르 토리!

캐나다는 어떤 나라? 

캐나다는 세계에서 두 번째로 큰 나라이며, 전체 면적이 9,984,670km²에 달하는 넓은 국토를 가지고 있습니다. 하지만 국토의 40%는 춥고 고립된 북극 지방으로, 원주민인 이누이트족 외에는 사람이 거의 살지 않습니다. 국토가 너무 넓어서 지역마다 서로 다른 시간대를 사용하는데, 태평양 연안 · 산악 지역 · 중앙부 · 동부 · 대서양 연안 · 뉴펀들랜드 지역으로 나뉩니다.

캐나다의 수도는 연방 정부가 있는 오타와이지만, 열 개의 주와 세 개의 자치주에도 각각 연방 정부에서 권한을 부여받은 지방 정부가 있습니다. 전체 인구가 약 3,450만 명으로 인구 밀도도 매우 낮아 세계적으로 인구가 적은 나라 중 하나이며, 그중 약 81%인 2,500만 명 이상이 남동부의 도시에 거주합니다.

캐나다에는 여러 민족이 모여 살고 있는데, 영국계가 28%로 가장 많고, 프랑스계가 23%, 기타 유럽계가 15%, 아메리카 원주민이 2%, 아시아와 아프리카, 아랍계가 6%, 그 밖의 혼혈 및 다른 민족이 26%를 차지합니다.

캐나다의 시간대 지도.

캐나다의 교육 제도

캐나다의 모든 교육 정책은 주 정부에서 결정하기 때문에 각 주마다 초 · 중 · 고등학교 체계 등에서 차이를 보입니다. 초등학교는 5~8학년, 중학교는 6~9학년, 고등학교는 10~12학년으로 주마다 다양한 과정으로 구분됩니다. 어떤 주에서는 중 · 고등학교 과정에서 정해진 학년제 대신 학생의 개성에 따라 과목별로 진급하도록 하고 있습니다. 캐나다의 학교는 90%가 공립으로

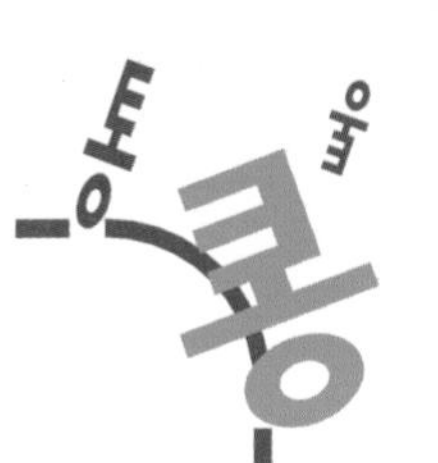

중·고등학교까지 학비가 면제되는 것은 물론, 교과서·체육복·문구까지 무료로 지급되지만, 사립 학교의 학비는 상당히 비싼 편입니다. 학생들은 어릴 때부터 적극적으로 학습에 참여하고 사회 문제나 정치에 대해 토론하는 등 언제, 어디서나 자신의 생각과 의견을 표현하도록 교육 받습니다.

대학에 들어가기 위해 우리나라나 미국처럼 대학 입학 시험을 보지는 않지만, 고등학교 때 진학반에 들어가 특정한 과목들을 공부하여 각 대학이 요구하는 일정한 점수를 받아야 합니다. 대학 과정에는 직업 대학과 학위가 수여되는 일반 대학이 있으며, 대부분 국가에서 운영하는 국립 대학교로 토론토 대학과 브리티시컬럼비아 대학, 맥길 대학 등은 국제적으로 이름난 명문 대학으로 꼽힙니다.

토론토 대학 1827년, 영국 왕실의 명령으로 세워진 킹스 칼리지에서 1850년에 토론토 대학으로 이름을 바꾼 유서 깊은 대학이다.

캐나다와 우리나라

캐나다와 한국은 긴밀한 우방으로, 캐나다는 1950년 한국 전쟁에 유엔군으로 참전하여 약 2만 7천 명이 목숨을 걸고 싸웠습니다. 그 후 1963년에 외교관계를 맺으면서 여러 무역 협정과 기술 협력 협정, 비자 면제 협정 등을 체결하였고, 현재 캐나다는 한국의 열네 번째 중요 교역 대상국으로, 한국은 캐나다의 여덟 번째 중요 교역 대상국으로 떠올랐습니다. 또한 많은 이민자들과 유학생들이 캐나다에 정착하여, 약 17만 명 이상의 교포가 온타리오 주와 브리티시컬럼비아 주, 퀘벡 주에 거주하고 있으며, 유학생도 해마다 증가하고 있습니다.

제 2 장
카르티에 선장의 네 번째 항해
어때? 나 같은 초절정 미인이랑 어울리는 호텔이지~♪
샤토 프롱트낙 호텔
아~, 머나먼 캐나다에서 운명을 만날 줄이야.
지팡이와 도토리 중 운명이 선택한 건…….
바로 토리 너였어!
풋
휙
아~ 이것이 바로 운명적인 사랑의 시작인가!
으으~ 지금 연극하냐…

오, 운명이시여~.
그대가 시키신 대로
따르겠어요~.
철퍼덕
야,
대체 왜 이런
장난을 친 거야!

장난이라니?
이건 운명이라니까!
운명적으로 준비된 만남!
너와 내가 함께
보물을 찾을
기회라고!
투두두두두

정말 카르티에 선장의
보물이 있단 얘기야?

당연하지!
아, 공원에 오래
있었더니 피곤해…….
털썩

그나저나 호텔은
마음에 드니?
내 수준에 맞춰서
골랐는데, 꽤 유서 깊은
호텔이라더라.
휴
아…….

여기 샤토 프롱트낙 호텔은 퀘벡의 상징이잖아.
1893년에 지어졌는데, 제2차 세계 대전 때는
미국의 루스벨트 대통령과
영국의 처칠 수상이 만난,
역사적으로 유명한 최고급 호텔이지.
루스벨트
처칠
바로 여기가 퀘벡!
퀘벡
호텔 이름은 프랑스 식민지 때
총독의 이름을 딴 것으로,
당시의 전통이 계속 남아 있어서 퀘벡을
캐나다 속의 작은 프랑스라 불러.
또 퀘벡은 도시 전체가 유네스코
세계 문화유산이기도 하지.
뭐야, 너……!
헉!
드르렁
보물찾기 짱을
불러 놓고
잠을 자다니!
드르렁~
화
골골

카트린느, 일어나 봐!
흔들 흔들
확 그냥 도우리 형네로 돌아가 버릴까?
그래도 얘기는 들어 봐야지?
끄응
카트린느, 보물 얘기 좀 해 보란 말이야, 어서!
휴

음냐~, 내일 하면 안 될까? 시차 때문에 졸려서 말이야.
네 방도 여기 잡아 놨어.
내 방을 왜 잡아 놔?!
으음

왜냐니, 보물찾기가 하루 이틀에 끝나진 않잖아.
빨리 얘기 안 하면 나 그냥 간다!
호호호
으

칫! 알았어, 알았어.
실은 며칠 전 카르티에 선장의
후손이라는 사람이 날 찾아왔어.
널 왜 찾아와?

모, 몰라…….
지금 중요한 건
그게 아니잖아.

문제는 그 사람이
갖고 온,
일기장과
항해도야!
OCEAN
두둥

이건……!
그래, 이건
카르티에 선장이
직접 쓴 일기장이야.
이 안에
보물을 찾을
단서가
들어 있대!
Strait of Belle Isle
Blanc Sablon
Newfoundland

직접……,
썼다고?

보스,
저 여자애랑 토리 녀석이
아는 사이였어요?
둘이 합세해서
보물을 찾으려나 봐요.
그러면 또
힘들어질 텐데…….
재수 없는
소리 그만해!

아닌 게 아니라
재수가 없었잖아요.
저 일기장과 항해도를
우리 손에 넣을 수
있었다고요!
갑자기 주인이
마음을 바꾸는 바람에
저 여자애 손에
넘어갔는걸요.
맞아. 저 소라머리
여자애 이름이
카트린느랬나?

시끄러워!
다시 뺏을 길이
꼭 있을 거야!

오히려 저 카트린느라는 애를
이용할 수도 있지.
좋은 생각이라도
나셨나요?

속닥 속닥
후후…
역시 보스는 멋져요!
근데 보스, 밤이 늦었는데 우리도 방을 잡아야 하지 않을까요?
아, 아무렴. 그, 그래야지.
당황
이 바보야, 보스가 돈이 어딨어? 여긴 최고급 호텔이라고! 완다 여사님도 태국에 있어서 기댈 데도 없잖아!
눈치 없이 이러면 보스가 얼마나 속상하시겠냐!
돼, 됐다…….
죄… 죄송해요. 보스….
부르르
오아아아
이번엔 꼭 카르티에 선장의 보물을 찾는다! 반드시!
네, 반드시!

흠…….

역사에는 세 번의 항해만 기록되어 있는데…….
ATLANTIC OCEAN

이전의 항해도와는 다른 지도야. 그럼 카르티에 선장이 캐나다에 또 왔었다는 건데…….
하지만 어떤 기호나 암호 같은 것도 없고…….

불빛에 비춰 봐도 글씨 같은 건 없어.
일기장엔 뭐가 있을까?
1557.1.1
좌악

어, 이건 항해 일지가 아니라 말년에 쓴 평범한 일기잖아.

1557.1.1
카르티에 선장은 1557년에 죽었으니 바로 죽은 해에 쓴 일기야.

1월 1일. 네 번째 항해도 결국 실패했다. 조금만 더 시간과 자금이 넉넉했더라면…….
1월 4일. 이렇게 추운 날에는 그날의 매서운 추위가 생각난다. 추위 속에 죽어 간 내 동료들…….
1월 20일. 국왕은 왜 끝까지 나를 믿어 주지 않았을까, 왜 좀 더 지원해 주지 않았을까……. 원망스럽다.

뭐야, 죄다 이런 내용이잖아!
좌르르르

응?
RRRR
대체 뭐가 보물에 대한 단서라는 거야!

여보세요?

나야, 팡이.
마드모아젤 C는
잘 만났냐?
잡잡
후루룹

너……,
다 알면서
날 보낸 거지?

카트린느 말이야!
카트린느!!

카트린느?
걔가 왜?

아, 마드모아젤 C가
카트린느의
머리글자였구나!
와핫핫핫

넌 웃음이 나오냐?!
어떻게 이럴 수가 있어?!
여, 여자 친구?!
그래~.
아냐, 정말 몰랐어.
하지만 잘해 봐.
여자 친구를
만들 기회잖아.
야호
난 카트린느에게서
영원히 해방이다!
만세!
크크크
그,
그치만…….
찔끔!!
내가 원하는
여자 친구는…….
그게….
그러니까….
히죽
그런데
카르티에 선장의
보물은 뭐야?
그것도
좀 이상해.
카트린느가
카르티에 선장의
후손에게 받았다는
일기장과 항해도를 가져왔는데,
보물의 단서는 아닌 것 같아.
게다가 역사적으로…….
Strait of Belle Isle
SECOND VOYAGE (1535)
FIRST VOYAGE (1534)
Cape Bonavista

역사적으로
거짓말이라고?

그래, 프랑스로 데려간
이쿼로이족 추장이 캐나다로
빨리 돌아가려고 꾸며 낸
거짓말일 거라는 설이 있잖아.

헉!
단서가 부실해 보이면
카트린느를 설득해서
프랑스로 돌려보내든지,
아님 잘 사귀어 봐!

아우,
열 받아!
물이 필요해,
물~!!
자꾸 그럴래?
됐다니까~!
화르르르
탁

우앗!
피럭

어,
이 단풍잎은
뭐지?
척

단풍잎에
밀납을 칠해 놨네.
책갈피로 쓴 건가?
뭔가
보이는데?
쏘옥

헉
그림이
그려져
있잖아!!
......!!

그럼 이게
보물의 단서?!

이 시간에
누구지?
똑똑

나의 운명 토리야~♡
우리 오늘의 만남을 위해
축배를 들어야 하지 않겠니?
우리의 영원한 만남을 위하여
우선 의상을 갖춰 줘~.
진짜 제대로
공주병이구나!
내가 그걸
왜 입어!
큭큭큭~
카트린느라니~
불쌍한 토리.
~때로는 나도
내 직감이 무서울
정도라니까.

신대륙의 발견

캐나다에 처음 사람이 살기 시작한 것은 3만 5천 년~3만 년 전으로, 고대 아시아인들이 북극의 베링 해협을 건너 캐나다 땅으로 들어와 이누이트족을 비롯한 여러 부족의 인디언이 되었습니다. 그 후 10세기경에는 바이킹족이, 14세기에는 덴마크인이, 15세기에는 이탈리아인이 캐나다 동해안을 탐험하기도 하였습니다. 1534년에는 프랑스의 탐험가 자크 카르티에가 왕의 명령으로 황금과 보물을 찾기 위해 첫 항해를 시작하였으며, 1535년 두 번째 항해에서 세인트로렌스 강을 건너다 원주민들에게 '카나타(Kanata)'라는 말을 듣고 그곳의 지명으로 삼은 것이 '캐나다'라는 나라 이름의 유래가 되었습니다.

영국과 프랑스의 식민지 전쟁

©Shutterstock

샹플랭 선장의 기념상 캐나다 식민지의 개척자이자 퀘벡의 첫 번째 총독으로, 캐나다 개척의 선구자로 불린다.

1604년에는 프랑스 샹플랭 선장의 탐사대가 퀘벡 지방에 도착해 모피 교역을 시작하며 뉴프랑스라는 식민지를 세웁니다. 비슷한 시기에 영국도 캐나다에서의 식민지 개척을 시작하여, 뉴잉글랜드라는 식민지를 세우며 영국과 프랑스 간의 전쟁이 벌어집니다. 1713년에 위트레흐트 평화 조약을 체결하면서 두 나라의 전쟁은 진정되나, 이후 1763년까지 총 네 번의 전쟁이 일어납니다. 이 전쟁들에는 원주민까지 참전했으나, 1763년에 끝난 7년 전쟁에서 영국군이 뉴프랑스의 중심인 퀘벡을 함락시키며 승리합니다.

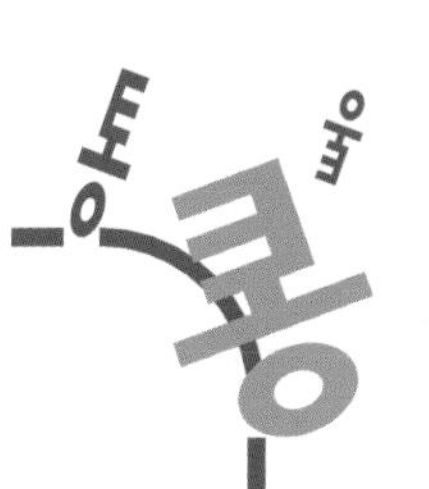

캐나다 연방

미국은 영국과의 독립 전쟁(1776~1783)에서 승리한 뒤, 그 여세를 몰아 1812년, 캐나다에 주둔한 영국군을 공격합니다. 이 전쟁은 미국과 캐나다 사이의 전쟁으로 확대되었고, 결국 영국의 도움으로 캐나다가 승리합니다. 그리고 전쟁을 통해 강력한 정부의 필요성을 느낀 캐나다는 1867년 여러 자치주들이 모여 캐나다 연방을 성립시킵니다. 이후 20세기 초, 캐나다는 유럽 여러 곳에서 새로운 이주자들을 받아들이며 큰 성장과 발전을 이룹니다. 제 1·2차 세계 대전에 참전하여 국제 문제에 적극적인 모습을 보이기도 하였으며, 1931년 영국 의회가 자치령들의 독립된 권한을 법률화했고, 1982년 4월 17일 최초로 헌법이 선포되면서 주권 국가가 되었습니다. 현재 캐나다는 국제 연합(UN)과 북대서양 조약 기구(NATO)의 주요 회원국이며 서방 선진 7개국 중 하나로, 독자적인 주체성을 발전시켜 나가고 있습니다.

퀘벡의 분리주의

18세기 영국이 프랑스에 승리하며 캐나다는 영국 문화권에 속한 나라가 되었으나, 프랑스계 캐나다인들은 퀘벡을 중심으로 자신들의 문화를 이어 가며 다른 지역의 캐나다인들과 충돌하였습니다. 급기야 1960년~1970년대에는 '퀘벡해방전선(FLQ)' 이란 무장 단체를 중심으로 테러가 일어나기도 합니다. 퀘벡 주에서는 1980년과 1993년, 퀘벡의 정치적 독립을 묻는 주민 투표를 실시하였으나 간발의 차이로 독립은 무산되었고, 퀘벡의 독립은 지금도 캐나다의 문제로 남아 있습니다.

©Shutterstock

캐나다 국기와 퀘벡 주의 깃발
퀘벡 주의 상징인 네 개의 나리꽃은 옛 프랑스 왕국의 상징과 비슷한 모양이다.

제 3 장

서커스 장의 보물 탐정

카,
카트린느잖아!
살려 줘~!
으아악
헉!
빠앙히

카트린느,
너 정말!
대체 여기서
뭐 하는 거야?
하도 안 일어나서
한번 들어와 봤어.
업어 가도
모르겠구나?
크크크…
허거거걱!!

맘에 드는 점은
아니지만,
내 운명이니
그냥 봐줄게.
호호호호…

무슨 소리야?!
업어 가도 모르는 건
너잖아! 너야말로
어제……!

어젯밤
정장이 부담스럽다니 드레스는 그만둘게.
하하하

하지만 운명과의 재회를 기념해 준비한 음식은 맛이라도 봐야겠지?
와구 와구

잠시 후
드르렁
드르렁

제, 제발 얘 좀 데리고 가 주세요.
드르렁
네, 네!
드르렁
드르렁

어, 어서 가시죠…….
드르렁
드르렁
드르렁
끄응~ 뭘 이렇게 많이 먹었는지…

철퍼덕
어이쿠!
이런!
집사 아저씨,
같이 들어요.

끙
끙
끙

내가 얼마나
고생했는데!!

야,
너 보물 찾으러
왔다며!
버럭
오늘은 퀘벡의 명물
얼음 호텔에 가 볼까?
갔다가 거기서
하룻밤 묵어도 좋겠어.
캐나다 여행
그보다
캐나다에 왔으니,
즐길 건
즐기자고~.
어머, 경쟁자가
있는 것도 아닌데
서두를 필요 없잖아.

저, 아가씨.
얼음 호텔은 2월부터 4월까지만 연다는데요.
뭐?! 그런 게 어딨어! 지금 지으라고 해요, 당장!
화르르
으아아악!!
난, 지금! 바로 즉시!
얼음 호텔이 보고 싶단 말이야~!
쾅...쾅
RRRR...
다 네 맘대로냐?
여보세요? 네?
네, 잠시만요.
쓱
카트린느 아가씨, 전화가…….
소곤소곤
?
!

여보세요?
다다다
?
보물이고 뭐고
카트리느한테서
빨리 벗어나야겠어.
꿈자리도
영 불길해.
수북
쓱
쾅
계획 변경!!
헉!
우리
몬트리올로
가자!
서커스를
보고 싶어졌어!
뭐야, 갑자기
웬 서커스?
부아앙
출발~!

내가 왜 차 안에
있는 거지?
할 수 없지.
몬트리올에서
도우리 형네로
가는 수밖에…….

아, 그런데
어젯밤…….

단서 좀 찾았어?
쓰윽

글쎄…….
별다른 건 없지만
이 단풍잎이
마음에 걸려.
어머, 예쁘다.
어디서 난 거야?

일기장에서.
!!
책갈피로 쓴 것
같기도 한데,
뭔가가 그려져 있어.

역시, 단서가 나왔구나!
그럼 이 항해도는
보물 지도야?
와아
촤악

그건 아닌 것 같아.
카르티에 선장도 결국
보물을 찾는 데 실패했잖아!
그럼
뭐야?

그러니까 결론은
아직 이게 단서인지도
알 수 없다는 거야.
아냐, 틀림없어.
자크 카르티에
선장이 죽으면서
일기장과 항해도에
단서가 있다고
했다잖아.
부아앙
그 말을
어떻게 믿어?
선장은 보물을
찾지도 못했잖아.
우린 꼭 찾을 거야.
행운의 여신이
너와 함께 있잖니~.
흐흐흐
행운의 여신?
그래, 바로 나!
카트린느 말이야!
오호호호호
뭐야?!

놓치면 안 돼!
잘 쫓아!
부아앙

걱정 마세요,
제가 운전 실력은
타고났잖습니까!
그런데 쟤들,
보물 찾으러 가는
거 맞겠죠?

당연하지!
그럼 놀러 가겠냐?
왠지 놀러 가는 것
같아서 말이야.
뭐라고?

뭐야,
여긴……!

몬트리올, 자크 카르티에 광장
이건 캐나다를 대표하는 공연, 태양의 서커스잖아!
휙
와
여긴 자크 카르티에 광장인데, 이곳엔 무슨 일이지?
와

보스!

서커스 천막 안으로 들어가고 있어요!

보스, 우리도 어서
표를 사서 들어가요!

얀센!
너 또 이럴래?!
쾅

보스는 지금
돈이 없다니까!
빈털터리 보스를 왜 자꾸
속상하게 만들어!
죄송해요, 보스~!
돼, 됐다…….
퍽 퍽
퍽

아니에요, 보스!
얀센은 좀 더 맞아야
정신을 차릴 거예요!

따라 해!
보스는 돈이 없다!
보스는 빈털터리 거지다!
보스는
돈이 없다…….
거지다…….
부들
부들

그만해,
그만해!
너 때문에
더 속상하잖아!
퍽

캐나다는
유행이 지난 서커스에
기술과 예술을 결합해
아트 서커스로
만들었다더니,
정말 대단해!
와
와
와
한 편의 연극을 보는 듯
스토리가 있는 서커스!
세계 최고의 아티스트를
동원하여, 연 매출이
6천억 원에 달하는
문화 수출품이기도 하지!
와
와

앗, 또 어딜 가는 거야?
서커스 배우들의 분장실에 좀 가 봐야겠어.

웅성
분장실? 거긴 왜……?
웅성

이상하다. 왠지 사람들이 우릴 보고 있는 것 같은데?
힐끗
힐끗
힐끗

움찔
맞아, 확실해! 보물 탐정이야!
와
와
와

아, 혹시 나를 알아본 건가?
휙

하긴, 내가 지금까지
찾은 보물이 몇 갠데
그럴 만하지.
난 너무 멋져~
난 너무 멋져요~
핫
핫
보물 탐정이다,
보물 탐정!
와
와
보물 탐정,
지금은 무슨 보물
찾아요?
헉

어머머, 캐나다에서도
인기 폭발이잖아~.
오호호~.
이 놈의 인기는 끝도 없군~
엉?
팔랑

이게 뭐지?
스윽

당신의 보물을
찾아드려요!
보물탐정
보물찾기는
예쁜 카트린느에게
맡기세요♡

에엥……?
카트린트 아가씨가
파리에 보물 탐정 사무소를
냈답니다.
흠흠

프랑스에 이어 캐나다에서도
TV 광고를 하고 있습니다.
영국에
셜록 홈스가 있다면
프랑스에는
카트린느 탐정이!
찡긋

보물 탐정이라니,
대체 그게 뭐예요?

흥
....
뭐긴, 보물을
찾아 주는 탐정이지!

그래서 카르티에 선장의 후손이 널 찾아온 거야? 도대체 뭘 믿고 이런 짓을 한 거야?
질문이 뭐 그래?
토리 넌 잘 모르겠지만, 난 보석에 관해서라면 누구보다도 잘 알아. 전문 감정인을 능가하지!
<프랑스에서 보물찾기>의 내 활약상을 찾아보라고!
보물이 다 보석이냐? 그러면 보물은 어떻게 찾을 건데?
그거야, 너랑 팡이가 도와주면 되잖아!
보물 탐정 카트린느와 함께 보물을 찾는 거지.
유후~
나랑 팡이를 믿고 이런 짓을 벌였다는 거야?
됐어! 난 안 도와줘!

저, 보물 탐정이시죠?
또!
부르르르
울컥

제가 전화드린
태양의 서커스 단원
잭이에요.

어머머, 그렇지 않아도
분장실로 가려고 했어요.
공연 너무 잘 봤어요!
흘끗
보물에 대해
할 얘기가
있으시다고요?
풀쩍
슬긋
전화를 했다고?
그럼 서커스를
보러 온 게 아니라
이 사람을 만나러
온 거였어?
공연 잘 보셨다니
감사합니다.
전화로 말한 것처럼,
카르티에 선장의 보물에 대한
얘기예요.

카르티에 선장의
보물에 대한 얘기라고요?
네,
저희 집으로 가서
얘기하시죠.
오호호, 봤지?
난 역시 타고난
보물 탐정이라니까!
제대로 한 발
내딛었잖아~.
휙
보물 탐정 카트린느가
세상의 보석이란 보석은
모조리 찾아 주마!
역시, 보물이 아니라
그냥 보석이
좋은 거잖아!!

모자이크 다문화주의

캐나다와 미국의 문화 정책.

캐나다는 원주민과 다른 나라에서 온 이민자들로 구성된 나라입니다. 초기의 이민자들은 주로 프랑스와 영국 등 유럽에서 건너왔지만, 1970년대에 이민과 다문화를 장려하는 새로운 이민 정책으로 아시아, 아프리카 등 세계 각지에서 많은 이민자들이 들어왔고, 지금도 매년 25만 명 이상의 사람들이 캐나다의 모습을 바꿔 놓고 있습니다. 캐나다의 이민 정책은 이웃의 미국과 자주 비교됩니다. 미국의 이민 정책이 이민자들의 고유문화와 전통을 버리고 미국 사회에 동화시키는 용광로 정책이라면, 캐나다의 이민 정책은 이민자들의 특성을 그대로 유지하면서 캐나다 사회에 적응하도록 하는 모자이크 정책이라고 할 수 있습니다.

이민자들은 캐나다의 특정 지역에 모여 정착하여 자신들의 전통을 유지하려고 노력하며, 혈통을 자랑스러워하고 모국의 문화를 지켜 갑니다. 때문에 캐나다는 마치 여러 나라와 민족이 조각조각 모여서 하나의 나라를 이룬 것처럼 보이는데, 이것이 캐나다만의 독특한 문화로 만들어지고 있습니다.

캐나다의 언어

캐나다의 다양한 언어.

캐나다의 공식 언어는 영어와 프랑스어입니다. 전체 인구의 22%가 프랑스어를 모국어로 쓰고 그중 80%가 퀘벡 주에 살고 있으며, 영국계 주민이 많은 캐나다 서부 브리티시컬럼비아 주 등에서는 영어가 많이 쓰입니다. 때문에 모든 광고와 제품의 설명서는 물론 각종 연방 정부 문서와 공식적인 안내 표지, 지폐 모두 두 가지 언어로 쓰여 있습니다. 뿐만 아니라 캐나다에는 세계 각국에서 모인 이민자들이 많아, 사용되는 언어도 다양합니다. 북쪽 누나부트 준주의 원주민들이 쓰는 다양한 고유어와 함께 네덜란드어, 폴란드어, 독일어, 중국어, 한국어, 베트남어, 아랍어 등 서로 다른 언어를 쓰는 사람이 전체 인구의 19%가 넘습니다. 이에 다문화주의를 지향하는 캐나다 정부는 이민자들이 자신들의 모국어를 캐나다에서 계속 사용할 수 있도록 학교 교육에서도 지원하고 있습니다.

캐나다의 정치제도

캐나다는 과거 영국의 연방 자치주였기 때문에 지금도 상징적으로는 영국 엘리자베스 여왕이 공식 국가 원수로 있는 연방 군주제 국가입니다. 식민지 시대처럼 영국 여왕을 대표하여 파견된 총독도 있으나, 현재는 총리의 추천을 받은 캐나다 시민만이 총독으로 임명될 수 있고, 각종 공식 행사를 이끌어 가는 명예직으로 한정됩니다. 캐나다의 정치 형태는 의원 내각제로 총리가 국가를 이끌어 갑니다. 연방 의회는 상원과 하원으로 나뉘는데, 308석의 하원 의원은 인구 비례에 의한 국민 투표로 선출되고, 105석의 상원 의원은 총리 추천에 의해서 지명된 사람들로 구성됩니다.

자치주들이 모인 연방 국가이기 때문에 각 주마다 각각의 정부와 의회가 있으며, 선거에서 선출된 주지사와 주 의회가 사법 · 민권 · 세금 등과 같은 지역 문제를 담당합니다.

©Shutterstock

캐나다 국회 의사당 캐나다의 수도 오타와에 있는 고딕 양식의 건물로, 영국 런던의 빅벤을 닮은 시계탑과 아름다운 도서관으로 유명하다.

제 4 장

두 번째 단풍잎

그보다 보물은……
후

아유~, 이 먼지! 환경이 청결하지 못하군요.
집이 허름하면 청소라도 깨끗이 해야죠!
미, 미안해요. 바빠서 미처 못 했어요.
콜록 콜록

그런데 이건 진품인가요? 싸구려 모조품 같아 보이는데……

자, 잠깐만요!
읍!

지금 너 뭐 하는 거야! 보물 얘기하러 온 거 잊었어?
분위기 좀 좋게 풀어 보려는데 왜 그래? 넌 대화의 기술도 모르니?
그게 무슨 대화의 기술이야!!

저기…….
아, 죄송해요!
보물에 대해 아는
게 있다고 하셨죠?
앗!

네, 제 선조 할아버지께서
카르티에 선장과 함께
이곳에 오셨다고 해요.
네?

할아버지 성함은 피에르예요.
프랑스에서 선원으로 이곳에 왔다
남게 되셨다고 들었어요.
피에르?
피에르라면…….

지도에 있어요!
촤라락

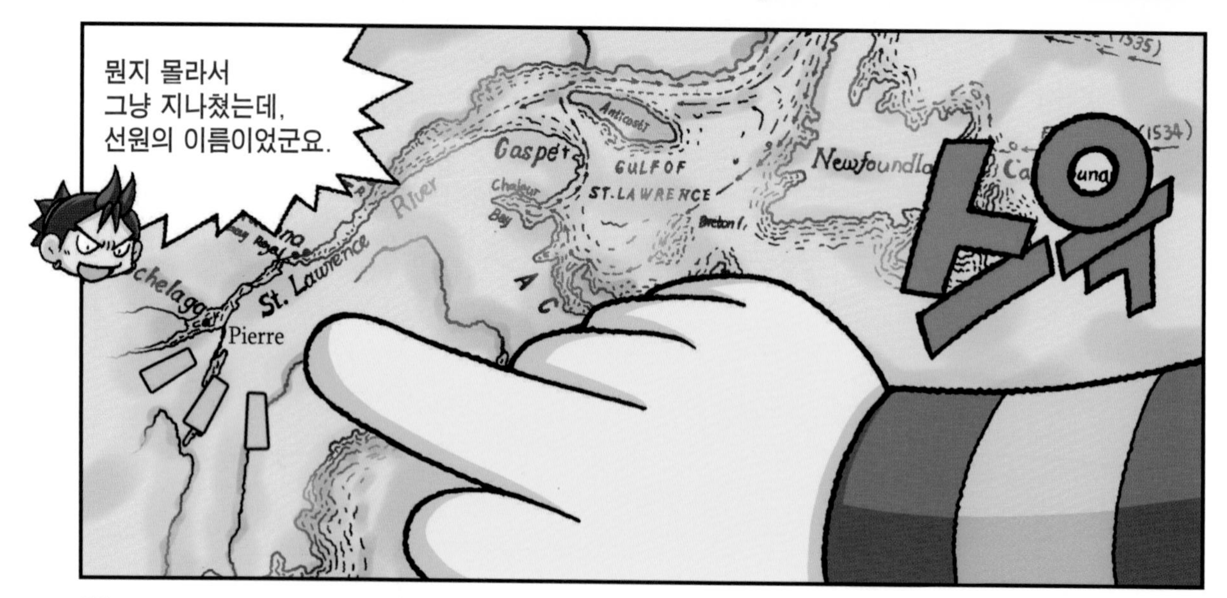
뭔지 몰라서
그냥 지나쳤는데,
선원의 이름이었군요.
Anticosti
Gaspe
Chaleur Bay
GULF OF ST. LAWRENCE
Newfoundla
St. Lawrence
River
Pierre
Breton I.
(1535)
(1534)
누욱

이게
뭔데요?
카르티에 선장의
항해도예요!
이름 하여 보물 지도!

그게 아니라고
했잖아!
조용히 좀 해!
웁! 웁!
저…….

스윽~
선조 할아버지께서
남기신 일기장이에요.
피에르 씨의
일기장이오?!

네, 하지만 그저 일기장이에요.
카르티에 선장의 보물이 있다고
전해지지만, 일기장에 단서가
있는 건 아니더라고요.
믿는 사람도 없지만,
단지 보물이란 말에 끌려서
간직하고 있었죠.
전화한 것도
혹시나 해서예요.

제가 좀 봐도
될까요?
당연하죠.

어디 보자,
음…….
겨울만 아니라면 이 땅에서
살아가는 것도 힘들지 않다.
다만 옛 동료들이 보고 싶다.
카르티에 선장님…….

이야~, 16세기 불어도
잘 읽으시는군요!
하하하,
뭘요…….
와!
딱

호호호, 당연하죠!
보물 탐정의
파트너에게
이 정도는 기초 중의
기초랍니다!
호호호호~
윽

역시 보물 탐정이군요!
오호호호…
울컥

자, 좀 더 실력을
발휘해 봐~!
싫어,
안 해!

그러지 말고 어서
읽어 보라니까!
촤라라락
읏!

어머!

단풍잎이잖아!
메이플 넘버 2야!

메이플 넘버 2라고요?
단순한 단풍잎이
아니군요!
메이플
넘버 2?
오!
오!

두 번째 단풍잎
단서란 뜻이죠!
오오~, 그게
단서였군요!
네 맘대로 이름 붙이지 마!

자, 어서
다른 그림이
있는지 살펴봐.
내가
네 조수냐?!

정말 안 할 수도
없고…….
아, 그림이 있어!
따악!
역시
짐작대로야!

정말 카르티에 선장의
보물이 있었군요!
왓! 왓!
좀 더 단서를
모아 봐야죠.
단풍잎의 그림이
뭔지 아직 확실치 않고,
지도의 이름들에 대해서도
아직 잘…….
그렇지 않아.
이렇게 단서가 나오는 데는
다 이유가 있어.
보물은 분명히 있다고!
카트리느! 너 정말
그러고 보니
두 사람 꼭 셜록 홈스와
왓슨 같아요.
셜록 홈스
왓슨
그럼 서, 설마……!
번쩍
네, 제가
셜록 홈스!
이쪽이
조수 왓슨!

조수 조수 조수
조수 조수 조수…
조수 조수 조수…
조수 조수…
으아아아악

보물을 찾으면
연락 드릴게요.
이건 협조해 주신 것에
대한 사례예요.
아,
고마워요.
나 먼저
간다!
흥

이 천재 보물찾기 짱 도토리가
팡이도 아닌 카트린느랑
비교를 당하다니!
게다가 조수?!
토리야~
삐쳤니~?
삐쳤니~?
씩씩
씩씩
탁탁탁

으아아~,
이건 있을 수 없는
수치야!
토리야,
단서도 찾았으니
간식이나 먹을까~?
부르르르

됐어, 이제
너랑 안 다녀!
난 내 갈 길
갈 거야!

무슨 소리야?
나 혼자 어떻게 찾으라고~.
벌써 단서도 두 개나 찾았잖아.
셜록 홈스 같은
명탐정이시니,
혼자서도 잘 찾을 수
있겠는데 뭘!
흥

띠리리리리…

아가씨,
전화가…….
띠리리리

네, 보물
탐정입니다!
샤샥~
슉
펑
펑
으~ 못 참겠다!
NEZEM

버럭
소풍 가서 보물찾기
하는 걸 도와 달라고?
보물 탐정을 뭘로
보는 거야?!
너야말로 날
뭘로 보는 거야?

띠리리리
휙

여보세요.

또 전화가…….
네, 보물 탐정…….

뭐, 보물찾기 시리즈가
몇 권까지 나왔냐고?!
서점 가서 물어봐!
집사, 좀 물어보고
바꿔 줘야지!
탁

토리야~,
같이 가!

여보세요, 네?
아, 아가씨!

또 뭔데!
버럭
바들~
바들~

세계적인
트레저 헌터라는데,
그냥 끊을까요?
세계적인 트레저 헌터?!
번쩍

흠

흠

흠

집사, 토리 좀
못 가게 막아 줘!
어떻게요?

플랜 X를 써!
X
프, 플랜 X요?!

지, 지, 진심이세요?
덜덜덜

빨리 가!
네, 네!
허둥지둥

샤방

이 귀족적이면서도
젠틀한 분위기.
나랑 너무 잘 어울리잖아!
나오기를 잘했어!
빠바봉

텔레비전에서 본 것보다
더 아름다우시군요.

어머머~, 그런 얘기
많이 들어요!

쟝, 우린 왜
따로 있어야
하는 거야?
그게 다
너 때문이잖아.
네가 워낙 험상궂게
생겨서 저 여자애가
우릴 의심할까 봐
그렇지!

야, 솔직히 너보다는
내가 더 착하게 생겼어!
뭐라고? 사람들한테
한번 물어볼까?

여기요!

우리 둘 중 누가 더
착하게 생겼어요?
제가 더 착하게
생겼죠?
꺅!

꺄아아악~!!
무서워!!
호호
호호
호

찌릿

세계적인 트레저
헌터라고 하셨죠?
휴~

네, 그동안
제가 찾은 보물만 해도
엄청나지요.
훅

카트린느 양,
아니 보물 탐정님은 지금
자크 카르티에 선장의
보물을 찾고 계시죠?

어머멋~
그걸 어떻게
아셨죠?

후후, 세계적인 트레저 헌터라는
명성이 괜히 나왔겠습니까.
지금은 도토리라는 보물찾기 짱과
협력하고 있고요.
어머, 그건 또
어떻게 아시죠?

저의 정보 수집
능력 역시,
세계 최고거든요.
스윽

제게도 아리따운
보물 탐정님과 함께
보물찾기를 할 영광을
주시겠습니까?
가까이서
보니까 훨씬
예쁘군요.
화끈
화끈

어머, 이 사람.
능력도 능력이지만
품위 있고
다정해…….
두근두근

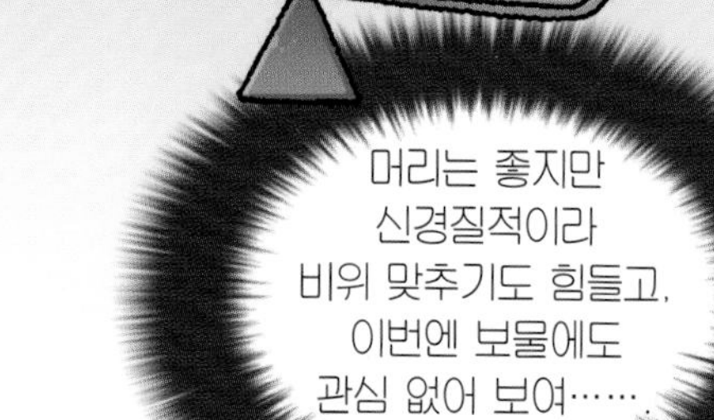
그에 비하면
내 운명 토리는…….
싹
싹
싹
머리는 좋지만
신경질적이라
비위 맞추기도 힘들고,
이번엔 보물에도
관심 없어 보여…….

이 카트린느 님이 같이
보물을 찾자는데, 대체
뭐가 불만이야?
야호!
어?
어?
흥~

좋아.
양다리를 걸치면 되지 뭐!
안 될 게 뭐야!
나같이 예쁜 미모는 양다리 걸칠 자격이 있어!
쭈우욱~

좋아요!
당신 제안을
받아들이겠어요!
덥~석

우리 형?
연락 못해서 미안해.

뭐? 가족 모두 아이스하키 경기 보러 내일 미국에 간다고?
큰아버지는 휴가도 미국으로 다녀오셨다더니, 미국이 옆집이라도 돼?
확
응, 캐나다와 미국이 비자 없이 오가는 거야 나도 알지.
나도 같이 가! 지금 형네 집으로 가는 중이야.
스윽
!!

으아야야…
여긴 어디야?
누가 날 납치한 거지?
혹시 내 뛰어난 두뇌를
노리는 건가?!

헉 헉 헉…
설마 트레저 마스터?!
카르티에 선장의
보물이라는 게
진짜 있는 거야?

꿀꺽

살려 주세요!
살려 줘요~!!
쿵
쿵
쿵
스윽

푸하

헉
지, 집사 아저씨!
이게 무슨 짓이에요!
이거 범죄예요, 범죄!
헉
헉

정말 미안해요.
하지만 저도
시키신 일을 하는 거라,
어쩔 수 없었어요!
시키다니요!
누가요?!
으아악
싹싹

브라보
짝 짝 짝

카트린느,
너 정말!
잘했어, 집사!
플랜 X는 완벽히
연습했군!
어머~!
토리
울었네?!
그러게
내 말을
들었어야징~!
짝 짝 짝

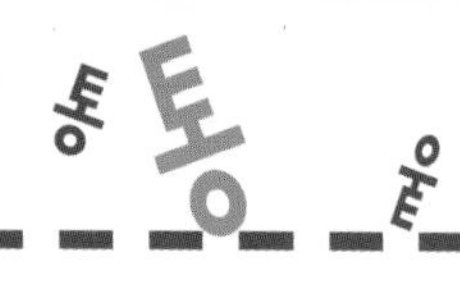

비슷하면서도 다른 두 나라

캐나다와 미국은 북아메리카 대륙의 이웃으로, 같은 언어를 쓰며 같은 다민족 국가인 서로에게 가장 가까운 우방입니다. 미국의 영화가 종종 캐나다에서 촬영될 만큼 두 나라의 도시도 서로 닮은꼴이지만, 동시에 다른 점이 많습니다. 캐나다의 인구는 3,450만 명 정도이지만 미국은 약 3억 1천만 명으로 캐나다의 열 배에 달합니다. 1인당 국민 소득도 4만 3천 달러인 캐나다에 비해 미국은 5만 1천 달러로 꽤 차이가 나지만, 생활 수준에서는 큰 차이가 없습니다. 미국이 세계의 경찰 역할을 하느라 막대한 자금을 지출하는 반면, 캐나다는 그렇지 않기 때문입니다. 또한 역사적인 면에서, 미국인이 독립 혁명과 남북 전쟁을 겪으면서 애국심을 중요한 가치로 여기는 반면, 캐나다인은 어떤 집단의 일원이라는 것을 중요하게 여깁니다. 여러 가지 정치·문화적인 문제에 있어서도 캐나다인은 진보적인 성향을 보여 세계에서 세 번째로 동성 커플의 결혼을 합법화했고, 사형 제도를 반대하였으며 이런 성향 때문에 캐나다는 미국의 우방이면서도 미국이 주도한 베트남 전쟁이나 이라크 전쟁에 참전하지 않아, 한때 두 나라의 관계가 불편해지는 원인이 되기도 했습니다.

세계에서 가장 긴 국경

1812년 캐나다와 미국 간의 전쟁 후, 두 나라 사이에는 6,416km에 달하는 세계에서 가장 긴 국경이 생겼습니다. 두 나라 사이의 국경을 '열린 국경' 또는 '보이지 않는 경계' 라고 부르는데, 이것은 과거 미국의 독립 전쟁 기간 동안 영국 여왕에 대한 충성심으로 독립을 반대한 많은 미국인들이 캐나다 국경 근처로 이주했기 때문입니다. 그래서 국경 부근은 문화적 차이가 적고 쉽게 오갈 수

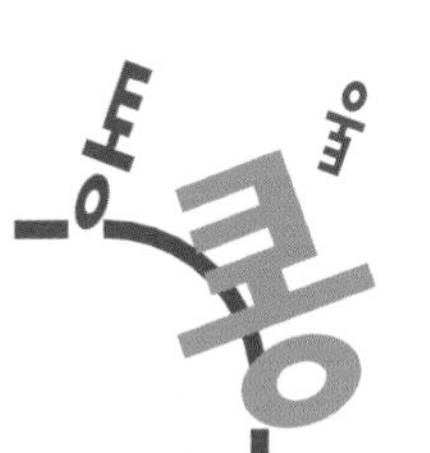

있으며, 9·11 테러로 미국의 경계가 강화된 뒤에도 여전히 여권만 휴대하면 쉽게 국경을 넘을 수 있습니다.
또한 이 국경은 세계에서 가장 교역이 많은 국경으로, 두 나라 사람들은 휴일이나 휴가철에 서로의 국경을 넘어 쇼핑과 관광을 하기도 합니다. 미국의 대중문화 역시 쉽게 국경을 넘어 캐나다에 영향을 미치고 있어, 캐나다의 가정에서는 쉽게 미국의 텔레비전·신문·잡지 등을 볼 수 있습니다.

©연합뉴스

캐나다와 미국의 국경을 넘으려는 차량 행렬
캐나다 브리티시컬럼비아 주와 미국 워싱턴 주의 국경을 넘어서 휴가를 보내려는 차량이 줄을 서고 있다.

북미자유무역협정(NAFTA)

지리적인 인접성과 상호 의존성 때문에 미국과 캐나다는 다방면에서 협력해 왔습니다. 특히 무역에 있어서 1989년 자유무역협정(CUFTA)을 체결하여 긴밀한 협력 관계를 유지하였습니다. 또한 1994년에는 멕시코까지 포함하여 세 나라의 교역 장벽을 철폐하고 공정한 경쟁을 통해 투자 기회를 넓히고자, 북아메리카 3국을 자유 무역권으로 만드는 북미자유무역협정(NAFTA)을 체결하며 서로의 활동 범위를 확장합니다. 이 협정을 통해 전통적으로 미국과 영국 연방 국가, 유럽 국가들과 집중적으로 이루어지던 캐나다의 무역은, 멕시코 시장과 남아메리카 시장까지 확대될 수 있는 발판이 마련됩니다.
하지만 북미자유무역협정은 지나친 개방에 대한 많은 우려를 낳기도 했습니다. 미국 문화의 유입이 더욱 심해지고 주권 침해와 환경 파괴를 가져올 수 있다는 점이 문제로 제기되었던 것입니다. 실제로 협정 체결 후 캐나다에서는 상당수의 기업이 문을 닫고 실업자가 생기기도 했지만, 이후 체질 개선을 통해 국제 경쟁력을 갖춘 기업들이 생겼고, 멕시코는 네 번째로 큰 캐나다의 무역 상대국이 되었습니다.

제 5 장

나이아가라의 의뢰인

깜짝이야!
집사 아저씨,
놀랐잖아요!
어디 도망 안 가니까
좀 떨어져 계세요!
아가씨가
신신당부를
하셨거든요.
긁적
긁적

그런데 뭐 하세요?
아가씨 홈페이지
관리 중입니다.
탁 탁 탁

얘는 대체
어디 간 거예요?
탁 탁

http://www.tdcatherine.com
찾아 주겠어!!
Treasure Detective Catherine
짠
우아!
이 화려한 사이트는
뭐예요?

딸깍
딸깍
딸깍
뭐야,
잘난 척 하는 사진만
잔뜩이잖아?

사진첩
방문객
딸깍

어,
이건!!

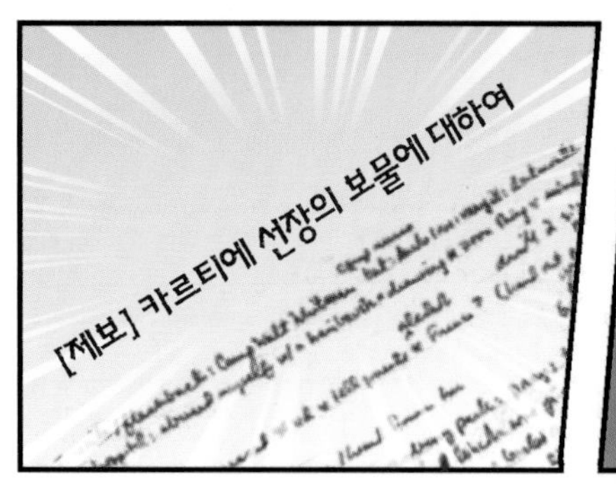

[제보] 카르티에 선장의 보물에 대하여

흠~
홍차 향이
아주 좋군요~.

홍차에 메이플 시럽을 조금 넣어 주면 더욱 풍미 있죠~.

어머, 그래요?
쪼르륵

으음, 정말 센스 있으세요.
캬

자, 그럼 이제 단서에 대해서…….
아, 캐나다는 낯선 곳이지만 이곳 퀘벡은 참 마음이 편해요~.
그러시겠죠. 퀘벡은 프랑스 식민지 때의 문화가 많이 남아 있어서, 리틀 프랑스라고도 불리는 곳이니까요. 저, 그래서 단서는…….
하하하
냠냠
치즈 케이크가 맛있어요. 한 조각 더 시켜도 될까요?
네, 얼마든지요.
딴짓 그만하고 단서나 말해. 이 소라머리야!

현재 발견된 중요한
단서는 메이플 넘버
1, 2예요.
단풍잎이오?
가져오셨나요?

안 가져왔죠~.

설마 절 못 믿으시는
건가요?
가지고
나왔어야지.
너 놀러 나왔냐?
아뇨, 아직 단서가
충분하지 않아서요.
잎마다 그림이
그려져 있는데,
뭔지 모르겠다고 하고.
아무래도 다른
단풍잎이 더 있을 것
같다고…….
아니 참,
모르겠고.
재잘
재잘
아니,
같아요!
치이익
그러니까
그쪽에서도
단풍잎 단서를
찾아 오세요.
네? 그, 그럼요.
물론 저도 단서를
찾아 드려야죠!
나한테까지
명령을 해?!

그럼 단서를 더 찾아서
다시 만나기로 하죠.
전 바빠서 이만~.

그래요, 홍차랑
케이크만 잔뜩 먹고
돈도 안 내고 갔어요!
보스는 돈 없는데!!
화르르
감히 보스에게
명령을 하다니!
가서 한 대 때려 줄까요?

단서가 내 손에 모두
들어올 때까지 참아 주고,
한 방에 끝장낸다! 알겠나?
이글
이글

네,
보스!!
깜짝

나 왔어~.
단서 연구는
잘돼?

별건 아냐.
일단 이 잎은
사탕단풍 나뭇잎 같아.

?
사탕단풍
나뭇잎?

캐나다 국기에
그려져 있는 단풍잎 말이야.
그 나무 수액으로
메이플 시럽을 만들지.
수액 40l에서 1l의
메이플 시럽이 만들어지는데,
100% 순수 천연 원액이야.
맛 좋고 건강에도 좋은
음식이지.

응, 나도 좋아해.
방금도 홍차에 넣어서…….
아, 아냐.
그 밖에 다른 건?
아차!!

잎에 그려진 그림이
뭔지 모르겠어.

이 부분은
동물의 발 같기도
한데…….

잠깐,
왜 내가 조수처럼
일일이 보고를
해야 해?!

흥, 그게 다야?
무시~
…

아가씨, 홈페이지에
글이 올라왔습니다.
야!
무슨 글?

세 번째 단풍잎을
갖고 있다는 사람이
연락해 왔어.
바보야, 그 얘기를
먼저 했어야지!
헉!
바, 바보?
천재라는 말만 들어 온
나에게 감히 네가!
바보
바보
바보
바보
으아아아,
어지러워…….
빨리
가 보자!
쌔앵
으아악!

나이아가라 폭포라고? 호호, 메이플 넘버 3가 거기 있었군!
세 번째 단풍잎을 말하는 거면, 메이플 리프 넘버 3라고 해야지.

뜻만 통하면 돼. 어머, 메이플이 가득하네!
부앙

꺄아
아, 그러고 보니 이 길은 메이플 로드구나.
부아앙~

화르르르~
응, 길이 마치
타오르는 불꽃 같아.
아~ 나의
표현력이란…

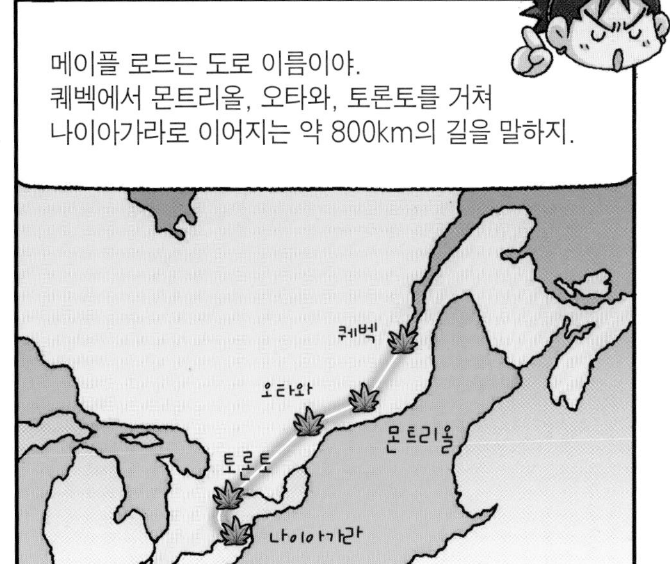
메이플 로드는 도로 이름이야.
퀘벡에서 몬트리올, 오타와, 토론토를 거쳐
나이아가라로 이어지는 약 800km의 길을 말하지.
퀘벡
오타와
몬트리올
토론토
나이아가라

16C
자크 카르티에
16세기 카르티에 선장이
세인트로렌스 강에 상륙하면서 시작된,
캐나다에서 가장 오래된
역사적인 길이야.
유럽에서 온 사람들이 내륙 쪽으로
이동하면서 개척한 마을들이 이어져 생겨났고,
단풍이 아름다워서 메이플 로드라는
이름이 붙여졌지.
뷰티풀!
마미 컴온!
St
MAPLE ROAD

그렇구나! 또다시
카르티에 선장이 나오다니
이 또한 단서가 아닐까?
뭐든지
단서냐?
딱

쏴아아아~
야호,
나이아가라다!
난 미국 여행 갔을 때
본 적이 있어.
토리는 처음 봤구나?
크긴 크지?
꺄오!
무슨 소리야!
나이아가라 폭포는 두 나라 국경에
걸쳐 있지만, 캐나다 쪽 폭포가
훨씬 크고 대단하다고!
레인보우다리를 건너면 미국!
260m
21~34m
678m
56m
미국 쪽 폭포는
폭이… 에, 260m!
높이는 21m~34m이지만
캐나다 쪽 폭포는…….
폭이 678m, 높이는
56m나 되거든!

잘 알고 있구나.
하지만 폭포를 제대로
보려면 배를 타야 하지!
배라면…….

허허허
혼 블로워호!
우리가 타야 할 배지.
호호호
나도 알거든!
휙

혼 블로워호
내 최고급 우비는
왜 안 가져온 거야?
내가 이런 촌스러운
빨간 우비를 입어야 해?!
출발합니다!
어서 타세요!
씩씩
폭포를 향해 가는 배라니.
뱃멀미는 괜찮겠지?
덜덜덜

우르르르

우리가 만날 사람은
대체 어디 있는 거야?
뭐라고?
안 들려!
콰콰콰

폭포 소리가 너무 커서 안 들리는군.
이 배에 타고 있댔지? 그럼 관광객
중에 있을 텐데…….
두리번
두리번
쏴아아아아

촤아아
으악.
폭포 세례다!
앞이 안 보여!

툭
어!
휘청~

으아아아

헉
척

괜찮니?
고, 고맙습니다.
헉 헉 헉

토리야. 어떡해…….
나 옷이랑 머리랑
다 젖었어.
응?

너, 너 누구야?!
카트린느 맞아?
말투랑 행동이 왜 그래?

무슨 소리야.
옷이랑 머리가 젖었다고
날 못 알아보는 거야?
토리 미워, 흑…….

그러고 보니 보물 탐정이랑
비슷하게 생겼군.
저, 제가
보물 탐정
맞아요…….
수줍

흑, 집사…….
사람들이 날 못 알아봐.
어서 머리 좀 말려 줘.
여기서
어떻게요?

아래층 선실에서 말려요.
내가 전화한 로이드 선장이오.
선장님이 제보자였군요!

위이잉

카르티에 선장의 보물에 대해 어떤 정보를 갖고 계시죠?

나와 함께 보물찾기에 매달렸던 친구의 유품이라네.
유품이오?
탁
그래.
마크!
아아악!!
흑흑흑
내 친구 마크는 보물을 찾기 위해 로키 산맥의 험준한 바위산을 넘다 사고로 그만 세상을 떠났지.
그때 난 깨달았네. 보물찾기에 인생을 거는 것은 어리석은 짓이란 걸.
마크···.

이런 눈물이…
사실 내가 보물 탐정에게 전화한 건, 이 말을 꼭 해 주고 싶었기 때문이야.
아……!

그럼 정보를 준다는 얘기는 거짓말이셨나요?

척
DIARY
물론 정보도 있다네.
친구의 선조는 카르티에 선장의 배를 탔던 선원 장이라더군.
그분이 일기장을 남겼지.
스윽
DIARY
일기장이오?
아, 여기 단풍잎 자국이 남아 있어!
헉

자국이라니!
그럼 메이플 넘버 3는
없어졌다는 얘기야?!
뭐야,
진짜 없잖아?!
DIARY
촤라라라
아저씨, 단풍잎은
어디에 숨긴 거예요?!
빨리 내놓지 못해요!
파바박
카트린느가
다시 돌아왔네.
저 성질은
머리카락이랑
관계있었나?
DIARY
헉!

캐나다의 다양한 자연

세계에서 두 번째로 넓은 국토를 가진 캐나다에서는 다양한 모습의 자연을 골고루 만날 수 있습니다. 서쪽에는 거대한 로키 산맥과 매켄지 산맥의 봉우리들이 솟아 있고, 중부에는 비옥한 곡창 지대인 대초원이 있습니다.
캐나다 국토의 40%를 차지하는 북동부의 순상지에는 빙하의 침식으로 인한 호수와 늪, 오래된 암석들이 많습니다. 브리티시컬럼비아 주에 위치한 그레이트베어 우림은 세계에서 가장 큰 온대 우림 지역이며, 캐나다와 미국에 걸쳐 있는 5대호 중 네 개를 포함한 100만 개 이상의 호수와 강은 지구 전체 민물의 20%를 차지합니다. 또 북쪽 끝에는 매서운 추위 때문에 이끼와 작은 관목 외의 식물이 거의 자라지 못하는 툰드라 지역도 있습니다.

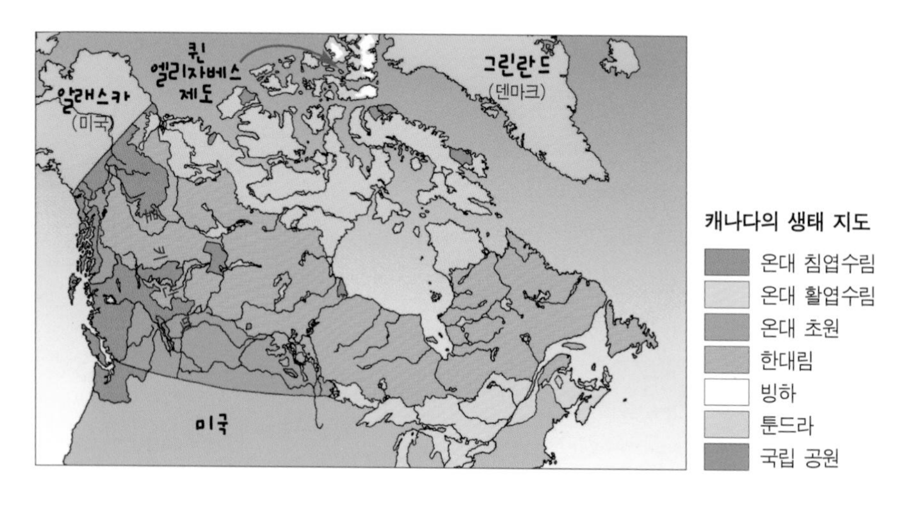

야생 동물의 천국

캐나다의 드넓고 다양한 자연환경에서는 그만큼 많은 야생 동물을 만날 수 있습니다. 말코손바닥사슴이나 순록, 그라운드 호그는 물론, 캐나다의 상징 동물인 비버는 늪과 습지가 있는 곳 어디서나 볼 수 있습니다. 특히 곰은 지역에 따라 북극곰과 불곰, 회색 곰, 갈색 곰 등을 다양하게 만날 수 있습니다. 이 밖에 멸종

위기에 처한 아메리카들소나 사향소, 아메리카퓨마, 삼림퓨마, 흰두루미나 표범개구리 등도 볼 수 있습니다. 캐나다 정부와 국민들은 자연을 지키기 위해 보호 지역 세 곳을 지정하여 해양 생물을 보호하고 있으며, 국립 공원 내에서 야생 동물에게 먹이를 주는 것을 법으로 금지하고, 허가를 받은 사람만이 야생 동물을 돌볼 수 있게 하는 등 엄격하게 관리합니다.

©Shutterstock

말코손바닥사슴 현존하는 사슴 가운데 가장 몸집이 큰 사슴으로, 수컷에는 너비 1.3m~1.5m에 달하는 손바닥 모양의 뿔이 있다.

캐나다의 국립 공원

북아메리카 대륙 서부에 위치한 로키 산맥은 캐나다의 브리티시컬럼비아 주에서 미국의 뉴멕시코 주까지 남북으로 4,500km에 걸쳐 뻗어 있습니다. 캐나다의 로키 산맥은 밴프와 요호, 재스퍼라는 세 개의 국립 공원으로 이루어져 있습니다.
특히 로키의 관문인 밴프는 3,000m 높이의 산들이 이어진 곳이며 6,641km^{2}의 방대한 넓이를 자랑합니다. 1885년 11월에 캐나다 최초, 세계에서는 두 번째로 국립 공원이 되어 유네스코 세계 자연유산으로 지정되었으며, 전 세계에서 연간 약 470만 명의 관광객이 몰려들고 있습니다.
로키에는 300여 개의 호수가 있는데 그중 가장 아름답고 유명한 루이즈 호수로 이어지는 산악 관광 도로는 수많은 빙하 때문에 아이스필드 파크웨이라고 부릅니다. 이곳의 컬럼비아 대빙원은 북극을 제외하면 최대 규모의 빙원으로, 면적이 무려 325km^{2}에 달하며, 두꺼운 곳의 두께는 350m나 됩니다.

아이스필드 파크웨이의 전경.
©Shutterstock

제 6 장

단풍잎의 비밀

으음…….
으흠…….
안절부절

아가씨가 그렇게 좋아하는
몽블랑 케이크도 안 먹다니.
이건 분명 비상사태야!

폭발할 것 같은
이 분위기,
벗어나고 싶어~!

단풍잎은 어디로
빼돌린 거예요?!
DIARY

글쎄, 단풍잎은
본 기억이 없는데…….
있었나? 없었나?
잘 모르겠군.
뭐라고요?!

그럼 혹시 다른 일기장이나
단풍잎에 대한 정보는
들은 게 없나요?

흠, 예전에 다른 선원이 쓴 일기장이
인터넷 경매에 나왔었는데,
아쉽게 놓쳤지.
또 다른 일기장이
있다고요?
SOLD

대체 누가 경매에서 성공한 거죠?
일기장을 손에 넣은 사람이 누구냐고요?
그건 나도 몰라~.
하지만 경매 사이트는
알려 줄 수 있네.
셋 셀 동안 말해요,
앙(하나)!
되(둘)!
트후아(셋)!
타앙

아무리 생각해도 불가능해.
범죄와 연관된 게 아닌 이상,
인터넷 경매 사이트에서는
낙찰 받은 사람의 정보를
알려 주지 않을 거야.
휴

그렇다면!

플랜 M을
시도할 때야!

또 무슨 짓을
하려는 거야?
집사!
플랜 M 개시야!

아가씨, 그런 짓을 했다간
아버님한테 혼날 거예요!
집에서 쫓겨나실지도
모른다고요!
안 돼요, 아가씨!
흥
흥
흥

시끄러워!
빨리 플랜 M을 실행해!
커, 컥.
네, 네…….
처억

흑흑…
우린 케이크나 먹으면서 기다리자. 오래 걸리지 않을 거야.

카트린느 너, 혹시 무슨 범죄를 저지르려는 거 아냐?
쩝쩝…
아아, 별거 아니라니까~.

우리 집안의 힘을 잠깐 빌리는 것뿐이야. 있는 걸 활용하는 거지.

집안의 힘?

아가씨,
알아냈습니다!
헉
헉
헉

앗!
타악

프린스에드워드
아일랜드 주 샬럿타운!

진짜 빠르잖아!
어떻게 한 거예요?
그건, 비밀입니다.
헉
헉
헉
휴우~

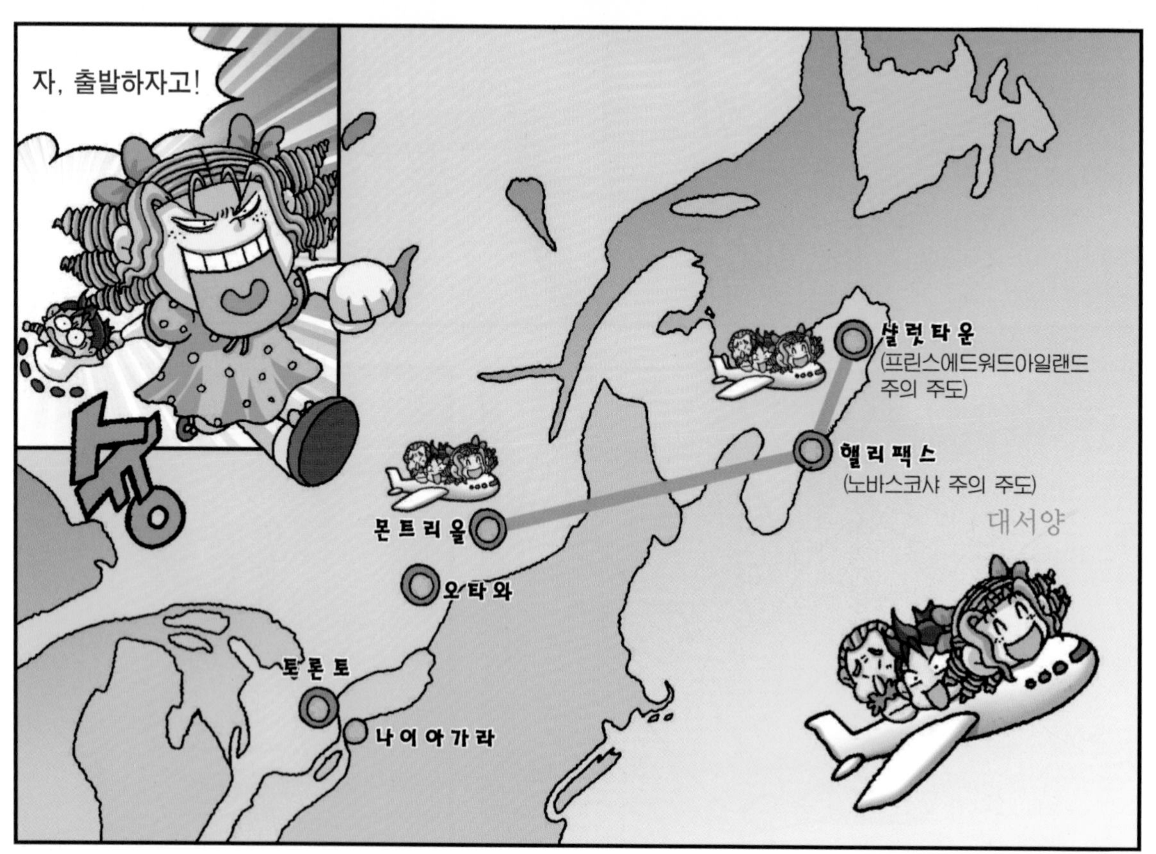
자, 출발하자고!
슝
샬럿타운
(프린스에드워드아일랜드
주의 주도)
핼리팩스
(노바스코샤 주의 주도)
대서양
몬트리올
오타와
토론토
나이아가라

프린스에드워드아일랜드 주의
샬럿타운.
영국 샬럿 여왕의 이름에서 따왔고, 1864년 북아메리카의 영국 식민지 대표들이 모여서 캐나다라는 하나의 국가로 태어난 역사적인 곳이지.
그리고 소설 〈빨간 머리 앤〉의 무대이자 작가 루시 몽고메리의 고향이야.
〈빨간 머리 앤〉의 배경은 여기서 가까운 캐번디쉬라는 곳이지.
근데……, 왜 이리 조용하지?
조용~
뭐야? 모두 어디 간 거야?!
휘이이이이잉
길버트, 길버트~!

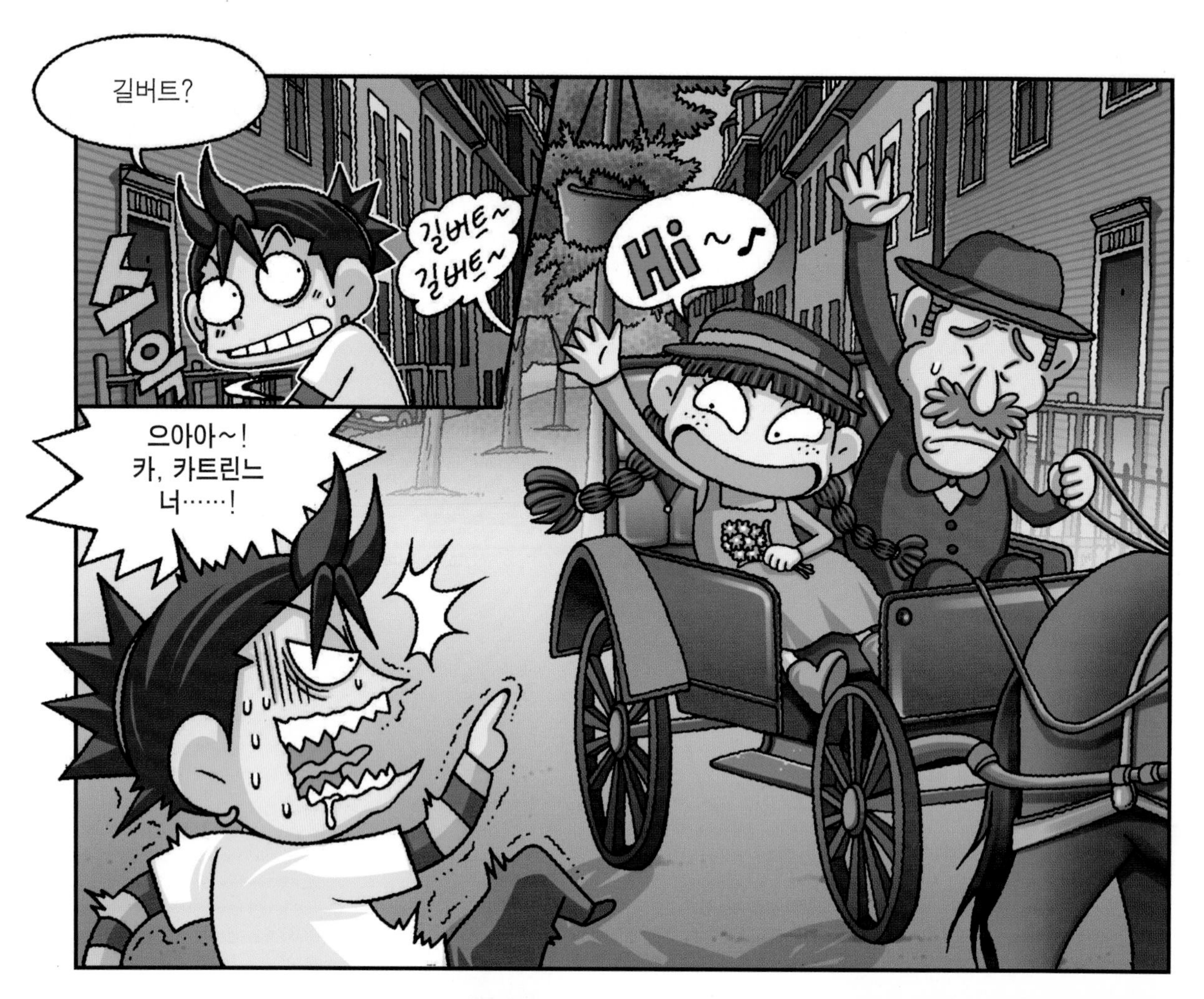
길버트?
길버트~
길버트~
Hi~♪
으아아~!
카, 카트린느
너……!

어때? 〈빨간 머리 앤〉의 고향에
온 기념으로, 일회용이지만
빨갛게 염색해 봤어.
고, 고추장
머리…….
휙

잘 어울리세요,
아가씨!
읍
짝
짝
짝

그냥 어울린다고
하세요!
오호호호호호…
윽…
오래
살고
싶으면…
빙글 빙글

웅성
웅성
와~, 앤이다!

어머, 여기서도 내가 유명한가 봐. 반가워요, 여러분!
……
찰칵
찰칵

같이 사진 찍어요, 앤!
앤……?

어, 저기 더 예쁜 앤이 있다~!

와
와
정말, 저쪽 앤이 더 예쁘고 진짜 같아!
와
와
쌩

부르르~
크르르

히익!

푸시시
아, 아가씨!
목적지가
저깁니다!

The Anne of Green Gables Store
와!
어서 오세요.
여기도 앤이잖아!
앤
기념품점이네.

어머, 손님께서도
앤 복장이네요.
〈빨간 머리 앤〉의
팬이세요?

거두절미하고,
대체 토미 존슨 씨가
누구예요?!
토미 존슨요!
버럭
깜짝

야, 귀청 떨어지겠다!
그렇게 물으면
어떡해?
씩
씩
씩

토미 존슨 씨는
저희 할아버지세요.
네? 지금
어디 계세요?
후다닥

무슨 일로 찾는지 모르겠지만,
작년에 돌아가셨어요.
이런!
왜 이렇게 일이 안 풀리는 거야!
카르티에 선장의 보물은
이대로 영영 아듀(안녕)인가?!
으아악

카르티에 선장?
일기장에서 그 이름을
본 것 같은데…….
뾰로통

네?!
일기장이오?
와!
와!

할아버지께서
남겨 주신 유품이에요.
오래 전에 경매로
사셨다고 했어요.

카르티에 선장과 함께 배에 탄
선원의 일기장이군요!
네, 할아버지의 취미는
보물찾기였거든요.
한때 이 일기장으로
카르티에 선장의 보물을
찾겠다고 하셨죠.
와
와
40%

좀 봐도 될까요?

꿀꺽
흐흐흐흐…

메이플 넘버 3~♪
넘버 3~♬
정신 사나워! 그만 좀 해!

메이플 넘버 3는? 넘버 3는 없는 거야?!
어, 없는데?

휘리릭

메이플 넘버 3가
뭐죠?
밀랍에 싸인 단풍잎이에요.
당시 선원들의 일기장에
하나씩 끼워져 있었죠.

아, 그거라면…….

이걸 말하는 거죠?
아,
단풍잎이다!

할아버지의 유품인데다
예쁘고 특이해서, 액자에 넣어
따로 보관했어요.
후후후….

드디어 단풍잎 세 장이 모였어.
잎에 담긴 메시지는
카르티에 선장의 암호일까?
아니면 지도?
음
??

집사!
짝!
짝!

척

제 인사가
늦었군요.
어머, 이 광고
본 적 있어요.
그 광고가
캐나다 전역에
방송되는 거야?

우쭐~
우쭐~
저희는 카르티에 선장의
보물을 찾고 있답니다.
할아버지의 유품을
단서로 빌려 주시겠어요?
물론 보물을 찾으면
꼭 사례를 할게요.

지그시~
호호호호

스페인 마드리드에서 열린
세계 주니어 체스 대회에
참가한 적 있죠?
앗, 그걸
어떻게 아세요?

저도 그 대회에 나갔었어요.
비록 예선에서
떨어졌지만…….

그래서 한 번도 지지 않고
결승까지 올라간 한국 소년을
기억하고 있었죠.
결국 우승은
못했는걸요.
으~. 그 누가
방해해서
말이지!
하지만 챔피언 못지않은
대단한 실력을
갖고 있었잖아요.
파이팅!

여기요, 전 그 체스 실력을
믿어 보겠어요.
감사합니다!
다음 체스 대회에서
꼭 우승
으로
보답
할게요!

쳇, 보물 탐정을
못 믿는 거야?
너무 하는 거
아냐?!
야호!

이제 세 개가 모였으니
뭐든 찾아봐!
이 그림을
맞추고…….
이쪽을
맞추면…….
어, 이건……?
뭐야?
알아냈어?
별자리 지도야!

캐나다의 대중문화

캐나다의 대중문화는 이웃한 미국의 영향을 많이 받아, 캐나다만의 문화가 발달하기 어려웠습니다. 이에 1970년대에는 정부가 문화와 예술을 장려하는 법을 제정하는 등 적극적으로 지원하여, 이후 영화 · 음악 등의 분야에서 많은 발전을 이루었습니다. 현재 미국의 엔터테인먼트 산업에서 활동하는 예술가와 연예인 중에는 캐나다인도 많아서, 두 나라의 문화 교류와 협력에 큰 힘이 되고 있습니다.

문학에 있어 캐나다를 대표하는 작품으로는 〈빨간 머리 앤〉을 꼽을 수 있습니다. 원제목은 〈초록 지붕 집에 사는 앤〉으로, 작가 루시 몽고메리의 어린 시절이 담긴 소설입니다. 이후 앤의 성장과 인생을 담은 후속권까지 전 세계적으로 많은 사랑을 받았습니다.

캐번디쉬의 초록 지붕 집, 헤리티지 파크
실제 루시 몽고메리의 조부모가 살았던 집으로, 집 내부는 소설 내용 그대로 꾸며져 있다.

다양한 민족의 다양한 음식

이민자가 많은 캐나다는 지역에 따라 음식도 다양합니다. 프랑스계가 많이 사는 퀘벡에서는 메이플 시럽을 이용한 프랑스 요리가, 인도나 중국 등 아시아 이민자가 많은 밴쿠버에서는 그 지역에서 많이 나는 홍합이나 게, 생선 등을 이용한 중국 요리와 인도 요리가 유명합니다.

©Shutterstock

메이플 태피를 만드는 모습
눈 위에서 급속히 굳은 메이플 시럽 사탕인 메이플 태피는 캐나다 겨울 축제에서 빠질 수 없는 인기 상품이다.

또 뉴펀들랜드에서는 그 지역에서 잡힌 어린 하프물범의 지느러미로 만든 플리퍼 파이가

잘 알려져 있습니다. 영국이나 독일 이민자가 많은 노바스코샤와 프린스에드워드아일랜드 같은 지역의 감자 요리도 빼놓을 수 없으며, 일반적으로 베이크드 빈즈, 클램 차우더, 팬케이크처럼 미국에서 즐기는 요리도 많이 먹습니다. 캐나다를 대표하는 것 중 하나인 메이플 시럽은 전 세계 생산량의 85%가 캐나다에서 만들어지는데, 대부분 퀘벡과 온타리오에서 채취됩니다. 메이플 시럽이 새로 나오는 봄에는 축제와 행사도 많은데 4월 초, 엘마이라에서 열리는 메이플 시럽 축제가 가장 크고 성대합니다. 축제에서는 깨끗한 눈을 뿌린 널빤지 위에 시럽을 붓고, 시럽이 굳기 시작할 때 작은 나무 막대에 감아 만드는 사탕인 메이플 태피를 맛볼 수 있습니다.

캐나다의 축제

캐나다의 날

7월 1일은 모든 캐나다인들의 가장 성대한 공휴일로, 1867년 영국의 식민지에서 캐나다 연방으로 독립한 것을 기념하는 날입니다. 행정 수도 오타와에서는 기념식이 열리고, 지역마다 불꽃놀이 등 축하 행사가 벌어집니다.

몬트리올 국제 재즈 페스티벌

해마다 6월 말에서 7월 초 여름이 되면, 세계 20여 개국에서 모인 2,000여 명의 세계적인 음악가들이 몬트리올 예술의 광장에 모여 재즈 공연을 펼칩니다. 도시 곳곳에서 재즈 연주와 퍼포먼스가 벌어지며, 전 세계에서 200만 명 이상이 찾아와 함께 즐기는 세계적인 축제입니다.

©Shutterstock

몬트리올 국제 재즈 페스티벌 1980년에 시작된 이 페스티벌에서는 재즈뿐만 아니라 아프리카나 남아메리카 등 전 세계의 음악을 다양하게 접할 수 있다.

제 7 장

일기장에 감춰진 암호

그래서? 알아듣게 설명하라니까!

그림으로 그려 줄게!

으

단풍잎을 맞추면 잎맥이 일직선을 이루게 돼. 이건 바로 지평선이야.

슥슥 슥슥

즉, 지평선 위 하늘에 작은곰자리와 큰곰자리가 떠 있는 거지.

중요한 것은 북극성의 위치! 이건 보물이 있는 곳의 북극성 위치를 알려 주는 거야!

그럼 이제 보물이 있는 곳을 알아낸 거야?

그럼 당장 출발해야지.
집사!
네, 아가씨!
철컥
딱

잠깐만, 북극성의 위치가
무슨 뜻인지는 알아?
덥석

그, 글쎄. 북극성은 북쪽이니까,
북쪽이란 뜻 아냐?
그래,
북극성은 항상
북쪽에 떠 있지.

그래서 보물을 찾으러
무작정 북쪽으로 가겠다고?
지구의 북반구 하늘이라면 어디서나
북극성을 볼 수 있는데?
캐나다도
한국도 다
북반구지~!
하이고~

그래서
어쩌라는 거야?
버럭~!!!
훅!
더 들어 봐. 지구의 북쪽으로
올라갈수록 북극성의
높이는 달라져.
왜냐하면 북극점과
북극성은 거의
일치하니까.
우쭐
N
W
E
S
우쭐

북쪽으로 올라갈수록
적도에서 점점 멀어지니까,
지평선에서 점점 높이 뜨는 거야.
이 지점에서부터
북극성의 고도가 높아진다.
북극점
이 지점에서부터
북극성의 고도가
낮아진다.
관측자
지평선
적도
까딱
까딱
즉, 지평선과 북극성의
위치를 알면
위도를 알 수 있지!
위도는 무슨
뜻인지 알아?
위도는…….
아가씨!
위도는 지구에 가로로 선을 그어
위치를 나타내는 좌표값이지!
적도가 0°이고, 북극점이 북위 90°,
남극점이 남위 90°!
힐끔
힐끔
뭐 하냐?
지금~

어쨌든 지금은
위성 항법 장치
시스템(GPS)이
발달해서 어디서나 쉽게
자신의 위치를
알 수 있지만,
위성
GPS

옛날에는 그렇지 않았지.
바다를 항해하던 옛날 사람들은
북극성의 위치로 위도를 알아냈어.
지평선에서 북극성이
떠 있는 각도를 재면,
바로 위도가 나오는 거야.
북극성
위도 80
이군!
지평선

지금까지의 긴 설명을 간단히 말하면,
단풍잎 그림으로 보물이 있는 곳의
위도를 알 수 있단 말이지?
그래!

이 지평선에서
각도기로 북극성의
위치를 재면…….
흠~

북위 65°에서 70°!

제가 알아낸 바에 의하면
보물이 있는 곳은 여기예요.

브라보~, 역시
보물 탐정이십니다!
짝짝
짝짝
짝짝

뭘 이 정도 갖고요.
아주 간단한
문제였답니다~.
크크..

예상은 했지만,
보물 탐정님의 능력은
정말 놀랍군요!

하지만 이것만으로는
찾아가기 힘들 텐데요.

물론 이대로는
떠날 수……,
없죠!
없어!
왜?

너, 북위
65°~70°가
어딘 줄 알아?
끙

자동차의 GPS가 있잖아.
그렇지, 집사?
네! 걱정 마세요,
아가씨!
척

내 참, 여기가 전부
북위 65° 에서 70° 라고!
캐나다만 따져도 이렇게 넓단 말이야.
게다가 북극에 가까워서 엄청나게 추울 텐데,
무작정 돌아다니다 얼어 죽을래?
북극
캐나다
음…….
그렇다면
북극 탐험대를
조직해야겠군!
윽
그보다… 경도를
알아야 한다고!
경도?

잠시만요!
그, 그래.
위도와 함께
지구상의 위치를
나타내는
좌표 말이지?
탁탁
지구가 24시간 동안 360° 한 바퀴를 돌기 때문에
0° 에서 360° 까지 세로선을 그어 표시하는데,
런던 그리니치 천문대를 기준으로 동쪽 180° 는 동경,
서쪽 180° 는 서경으로 표시하지.
24시간
360도 1바퀴
동경
서경
힐끔
힐끔

그래, 위도와 경도를 모두 알아야
정확한 위치가 나오는 거야.
경도
위도

저 단풍잎에 경도를
표시하는 단서가
남아 있지 않을까?

아닐 거야~.
카르티에 선장이 캐나다에 온
1540년대에는, 경도를 정확히
알 방법이 없었거든.
경도를
몰랐다고?
그럼 항해는
어떻게 해?
한마디로 대~충, 어림짐작으로 했지.
콜럼버스도 그냥 지구는 둥그니까
앞으로 가다 보면 인도가 나오겠지 하고 생각했어.
그러다 보니 엉뚱하게
아메리카에 도착했고.
무조건 직진하면
인도 나온
다니까!
울라라(어머나)~!
헉~여기가
어디야?

그래서 당시의 항해는 대실패로 끝나는 경우가 많았지!
어이쿠~! 여기도 아닌가~?
제발~
여기가 아닌가 보다~
실패
또 실패!
경도법 (Longitude Act) 상금 2만 파운드!
오! 해보자!
그 때문에 영국에서는 1714년에 경도법이란 것까지 만들었어. 정확한 경도 측정 방법을 알아내는 사람에게 엄청난 상금을 주겠다는 거였지. 경도를 알아야 해상을 지배할 수 있었거든.
존 해리슨
많은 사람들이 경도 측정에 도전했는데, 1730년에야 성공했어. 영국의 존 해리슨이란 시계공이 완벽한 해상 시계를 만들어서 경도를 측정할 수 있게 됐지.
해상 시계 H3
카르티에 선장보다 거의 300년이나 뒤의 얘기니, 단풍잎에는 경도에 대한 단서가 없을 거라는 얘기지?

그런데……,
달을 상징하는 듯한
이 그림이 마음에 걸려.
아주 옛날에는
월식이 일어나는 시간으로
경도를 알았다는
얘기가 있거든.
그럼, 나머지 단풍잎에
뭔가가 더 있을 수 있겠네?
그럴 수도 있지,
아닐 수도 있고…….
히힛
흐음
드디어 메이플
넘버 4구나!
흐음…
결론은
메이플 넘버 4를
찾아야 한다는 거예요.
경도라……,
그래야 할 것 같군요.

바로 무슈 파리스가
할 일이죠.
네?!
깜짝!

메이플 넘버 4를
찾아오세요!

이제 트레저 헌터의 실력을
좀 보여 주셔야 하지 않을까요?
지금까지 아무 일도
안 하고 있는 건 설마…….

무슨 말씀을!
제 유능한 정보원들이
단서를 모으고 있답니다!
지금까지의 보고에 의하면,
일기장에 대한 정보가
좀 더 있더군요.

어머,
정말인가요?
그럼요, 그러고 보니
정보원과 약속한 시간이
다 됐군요.
탕

그럼,
오 르브와
(또 만나요).
쪽

오 르브와~.

Fortuna
CAFE
씨익

샤샤샥!

저 소라머리가 제법인데요? 단서를 풀어 오다니, 솔직히 놀랐어요.
흥, 무슨 소리. 도토리 녀석이 풀었겠지.

아, 그렇군요. 그럼 보스, 이제 행동 개시인가요?
아직은 아냐. 위도만으로 찾아가는 건 정말 무모한 짓이야. 좀 더 기다려도 늦지 않아.

그나저나 보스, 오늘 잘하셨어요.
크크크...
뭘?

오늘은 계산서를 두고
먼저 나오셨으니까,
저 소라머리가
계산하겠죠?
오르브와

야, 보스가 그렇게
치사한 줄 알아?
밥 먹고 먼저 도망 나오는 건
남자가 할 짓이 아니지!
그게 어때서?
보스는 돈이
없잖아!

퍽
퍽
퍽

그만하지 못해!
너희들 때문에 내가
점점 구질구질해
보이잖아!
죄송해요, 보스.

카르티에 선장은
어떻게 경도를 측정했을까?

이 그림이 정말
월식으로 경도를
말하는 걸까?
사라져 버린
단풍잎에는 대체
어떤 단서가…….

그나저나 일기장엔 정말
아무 단서도 없는 거야?
암호라든지 말이야.

혹시 페이지 숫자에……?
차라라라락

…아무것도 없네.
일기장에 글자라도
숨겨 놓은 게 아닐까?
하아

아!
한번
해 보자!
벌떡

파

역시,
뭔가 있었어!

여기도!
여기도!
페이지마다
있어!

이건 돼지우리
암호야!

토리야,
나 왔어.

카트린느,
일기장에 단서가……!

캐나다 북쪽 북위 65°에서 70°라면 유콘 준주와 노스웨스트 준주, 누나부트 준주 등 대자연의 신비를 간직한 곳들이지.
하지만 캐나다는 긴 겨울로 유명하고 북극권에 가까우니 추울 것 같아서, 모피로 단단히 준비했어.
교통편은 비행기가 좋을거 같은데 우리집 전용 비행기 타자!
헉!

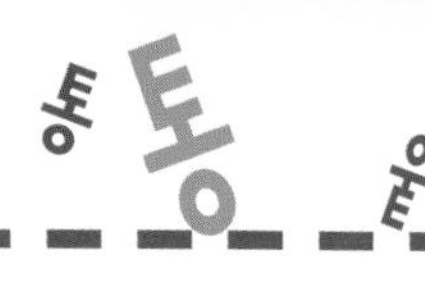

캐나다의 긴 겨울

캐나다는 겨울이 일찍 시작되며 반년이나 계속됩니다. 기온이 영하 20℃ 이하까지 떨어지는 지역이 많으며 눈도 많이 내려, 교통이 몹시 불편할 정도입니다. 특히 몬트리올과 토론토는 인구가 많은 대도시임에도 겨울이 매우 춥고 눈도 많아서, 성당과 교회를 제외한 중심가의 쇼핑센터나 레스토랑, 박물관, 미술관, 은행, 증권사, 컨벤션 센터 등이 모두 지하로 연결되어 있습니다.

캐나다 사람들은 겨울에 대한 방한 준비를 철저히 합니다. 집 안의 난방 기구를 점검하고 자동차에는 스노우 타이어를 장착하며, 두꺼운 속옷과 겉옷을 챙겨 입고 모자와 장갑, 보온용 양말과 부츠를 꼭 갖춥니다. 긴 겨울 동안 추위와 지루함을 이기기 위해 여러 가지 겨울 스포츠를 즐기기도 합니다. 스키장은 스키와 스노보드를 타는 사람들로 북적이고, 강이나 운하는 꽁꽁 얼어붙어 얼음 낚시터나 야외 스케이트장이 됩니다.

국민 스포츠 아이스하키

NHL 우승 팀과 스탠리컵 NHL의 우승 팀에 수여되는 스탠리컵은 매 시즌 우승한 팀과 선수의 이름을 새겨 넣는다.

캐나다에서 가장 인기 있는 스포츠는 아이스하키입니다. 1870년대에 캐나다에서 처음 시작된 아이스하키는, 종주국으로서 남녀 국가 대표팀 모두 세계 최강의 실력을 자랑하고 있습니다.

캐나다 거의 모든 도시에는 아이스하키 링크가 있고, 캐나다 소년의 대부분은 어린 시절부터

하키를 하며 북아메리카 내셔널 하키 리그(NHL)에서 뛰고 싶어 합니다.
NHL에서는 미국과 캐나다의 프로 팀들이 스탠리컵을 두고 우승을 다투며, 주요 아이스하키 팀의 유명한 선수들 중에는 캐나다 출신이 많습니다.

아이스하키의 규칙

경기에서는 한 팀에 골키퍼 한 명과 공격수 세 명, 수비수 두 명이 선수로 뛰지만, 계속 선수를 교체해 줘야 하기 때문에 총 22명의 선수가 있어야 합니다. 경기 시간은 20분씩 3회로 총 1시간이며, 각 20분을 1피리어드라고 합니다. 피리어드 사이에는 15분씩 휴식 시간이 있습니다. 경기는 상대편 골대 안에 퍽을 넣으면 1점을 얻고, 많은 골을 넣은 팀이 이깁니다.
아이스하키는 경기 운영이 빠르고 스틱을 사용하며 격렬하게 부딪히는 동작이 많은 거친 스포츠이기 때문에, 심판은 반칙을 범한 선수를 일정 시간 또는 계속해서 퇴장시키는 등 엄격한 벌칙을 적용합니다.

아이스하키의 장비.

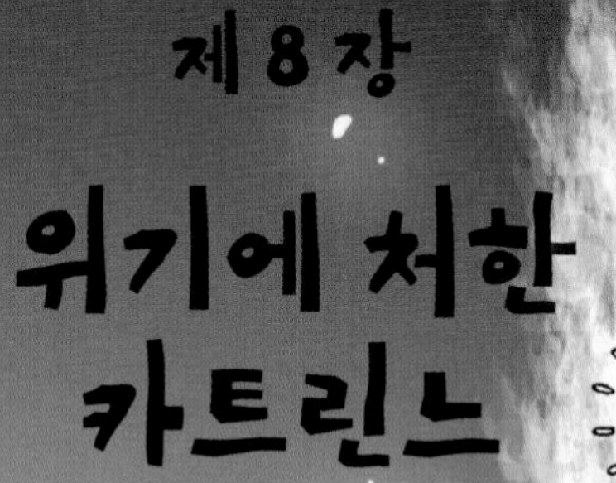

제 8 장 위기에 처한 카트린느

알았어~,
암튼 그게 뭔지
설명해 봐.
쳇
봐, 이건 아주 간단하고
기초적인 암호야.
A B C D E F G H I
J K L M N O P Q R
S T U V
W X Y Z
이 모양이 돼지우리 같아서
붙인 이름 같아~!
흐음~
이 선 모양들이
알파벳을 나타내는 거야.

이런 게 숨겨져
있었구나!
응, 카르티에 선장의
일기장에 적혀 있는 도형들을
늘어놓으면 문장이 돼.

불어잖아!
Une Grand île sous une grand étoile,
écoutez leur chansons aux sept
maisons en glace.
그게 대체
무슨 소리야?
그래, 해석하면
'큰 별 아래 큰 섬,
일곱 개의 얼음집에서
그들의 노래를 들어라.'
아마도 큰 별은
북극성일 거야.
그리고 큰 섬이란…….

북극권에서
가장 큰 섬,
바로 배핀 섬이야!
범위가 좁혀졌구나!
그래, 그리고
일곱 개의 얼음집이
정확히 뭔진 모르겠지만,
얼음집에서 사는
그들이란…….
이누이트족을
말하는 것 같아.
얼음집 이글루에 살고
물범 가죽으로 만든 코트에
장화를 신는 사람들 말이지?
나도 그런 거 사고 싶어~.
뭐든 쇼핑으로
연결되는군.
휘청

집사!
네, 출발 준비
다 됐습니다!
짜악
짜악
짜악
척
~띠리리리♪
앗, 전화가…….
응?
슥

아, 네…….
무슨 전화인데 그렇게
몰래 받아?

다다다다다

그렇지 않아도
무슈 파리스에게
전화하려고 했어요.
휴우~

아, 혹시 또 다른
단서가 나왔나요?

네, 일기장에 숨겨진
돼지머리 암호를
알아냈거든요.
돼지우리
암호겠지.
끙

암호에 숨겨진 장소는,
바로 배핀 섬이에요.

보물 탐정님은
정말 대단하시군요!

호호, 뭘요.
돼지머리는 간단한
암호잖아요~.
돼지우리라니까!
호호호

…실은, 저도 단서를 찾았답니다.
후훗

네, 그래서 급히
보물 탐정님을
만났으면 합니다.
네?
메이플 넘버 4를
찾았군요!

당연히 그러셔야죠.
지금 나가겠어요!
후후~
끼익

무슨 통화를
그렇게 오래 해?
지금 출발한다며?
깜짝

아주아주 급한
일이 있어서,
금방 갔다 올게.
뭔데?

메이플 넘버 4를 가져오면
토리도 깜짝 놀랄 거야!
잠깐만 기다려!
나의 팬들 좀
만나고 올게!
다다다다다다다

어, 아가씨가
어디 가셨지?
휘이잉~

무슈 파리스,
날도 추운데 왜 이런 데서
만나자고 하셨죠?
카페에서 차라도 마시면 좋을 텐데.
히잉~
후후, 그 이유는
말이죠……!
딱
앗!
크크크…
후다닥
꺄악!

읍~ 읍~ 읍~
조용히 해!

재갈 풀어 줘!
읍~읍~

이 나쁜 놈아!
벌레만도 못한
괴물아!
버럭
읍!
척

또 소리 지르면
입에 테이프 붙인다!
테이프 뗄 때
엄청 아픈 거 알지?
아마 피부도 상할걸?
질레~질레~
찌이이이이익

우~피부는
여자의 생명이란
말이야~!
한번만 더
소리지르면
가만 안 둘거야

원하는 게 뭐야?
우리 집안의 돈?
원하는 대로 줄게!
진짜?
얼마나 줄 수
있는데?
샤샤샥~

쟝!
깜짝!
죄송해요,
보스.

쾅!
한 번만 더 날 모욕하면 가만두지 않겠어!

보스는 거지도 아니고 유괴범도 아냐!
그럼 뭐야?

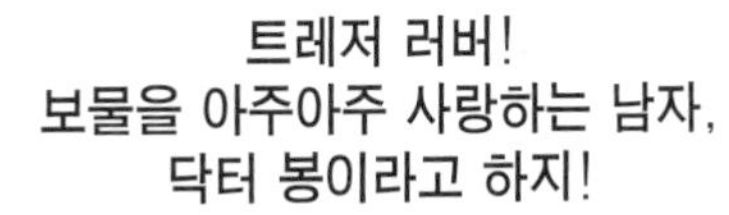
트레저 러버! 보물을 아주아주 사랑하는 남자, 닥터 봉이라고 하지!
휙

그럼, 진짜 목적은 카르티에 선장의 보물?
딩동댕!

스윽

토리에게 단서를 갖고
나오라고 해!
척!

안 돼, 이래 봬도
나는 보물 탐정이라고!
절대 내줄 수 없어!
보물 탐정의
명예를 걸고……!

여보세요?
토리야,
나 좀 구해 줘!

왜 그래, 카트린느?

아가씨,
어디 계세요?

날 살리려면……,
카르티에 선장의 일기장과
단풍잎 단서들을 갖고
호텔 밖으로 나와!
다짜고짜
단서를 갖고 나오라니,
대체 무슨 일이야?!

아가씨~!
이 집사가
구해 드릴게요!
집사 아저씨!
다다다
끼이익

드르륵―
흐흐…
아니,
장과 얀센?!

단서
고맙소!
홱―

자, 받으시오!
아이쿠!
투르욱―

푸하ㄹ!

그렇다면!!
홱

봉팔이?!
씨익~

다다다
거기 서~!
아듀~

부아앙
부들
부들
크읏…

끙
끙

아이고~! 큰일 났네, 큰일 났어! 의사 선생님, 우리 아가씨 좀 살려 주세요.
별 이상 없는데요? 좀 쉬면 나을 겁니다.

카트린느!
벌컥!

으으으으으
또끔~

카트린느, 대체
봉팔이 녀석을
왜 만난 거야?
버럭
부들 부들

마음 약한 아가씨에게
소리치지 마세요!
보물찾기는 여기서 중단하고
파리로 돌아가야겠습니다!
부르르~

아, 아가씨!
벌떡
확
그 벌레 같은 놈을
꼭 잡고야 말겠어!
감히 이 카트린느를
이용하다니,
절대 용서할 수 없어!
으아악
돌돌

헉!
휙

스르륵
토리야, 미안해!
내가 바보같이
속아 넘어가는 바람에~!
엉~엉~엉
아, 알았어.

보물찾기는 망쳤지만,
그 나쁜 놈은 꼭 내 손으로
잡고 말겠어!
으으으~
봉팔이를
잡으려면,
보물이 있는 곳으로
가야 하는데?

맞다, 우린 단서를
다 뺏겼지…….
흠…
흑..

내가 있잖아!
아이큐 180의 뛰어난 기억력을 가진
진정한 보물찾기 짱
도토리!
IQ180!

이 정도는
금방 다시
그릴 수 있다고.
어쩜!
우리가 갈 배핀 섬은
누나부트 준주에 있어.
누나부트란 이누이트어로
'우리의 땅' 이란 뜻이지.
누나부트 준주는
캐나다 영토의 5분의 1을
차지할 만큼 넓지만, 인구 밀도는
가장 낮은 이누이트족의
자치주야.
배
핀
섬
그래서 누나부트 준주가 고향인
형에게 벌써…….

토리야,
너는 역시…….
왜… 왜 이래?
내 운명이야!
끄악!!

토리야, 우리 왔…….
벌컥
헉!
털썩
우~우리 아가씨가…
쪼오오오~옥
웩
할싹

이누이트족

캐나다의 원주민 중 북극 지역에 사는 이누이트인은 지금으로부터 약 2천 년 전에 시베리아에서 북아메리카로 이동했다고 추측됩니다. 현재 유콘과 노스웨스트, 누나부트, 그리고 퀘벡 주 북부에 걸쳐 약 3만 8천 명 정도가 살고 있습니다.

©Wiki

이누이트의 전통 의상 야생 동물 가죽으로 만들어진 이누이트의 전통 의상에서 옛 이누이트인들의 생활을 엿볼 수 있다.

이누이트란 이들의 언어로 '인간'이란 뜻입니다. 전 세계적으로는 약 15만 명 정도가 있는데, 이들은 북극과 캐나다, 그린란드, 시베리아, 알래스카 등지에서 어업과 수렵을 하며 살고 있습니다. 옛날에는 사냥을 하기 위해 옮겨 다녔지만, 지금은 정착 생활을 통해 문화와 언어를 보존하며 살고 있습니다.

누나부트 준주

캐나다에 이민자들이 들어온 후 원주민들은 전쟁에 휘말리거나 땅을 빼앗기는 등 불이익을 겪었습니다. 이에 캐나다 원주민들은 자신들의 권리를 주장하며 오랫동안 법정 싸움을 벌인 끝에 1970년대에 원주민의 권리를 합법화하였고, 1999년 캐나다 북부에 이누이트인들의 자치주가 인정되어 이누이트어로 '우리의 땅'을 의미하는 누나부트 준주(準主)라 이름 붙였습니다. 누나부트 준주는 북극권에서 남쪽으로 불과 3° 아래 위치한 곳으로 캐나다 전체 면적의 5분의 1에 해당하는 지역이며, 석탄·금·아연·다이아몬드 등 광물이 풍부하게 매장되어 있습니다. 수도 이콸루이트에는 총 2만 6천여 명의 이누이트인 중 5천여 명이 살며, 자치 정부를 비롯하여 주요 공공시설과 북극대학이 있어 이누이트 발전에 기여하고 있습니다.

이눅티투트

ᐃ ᐄ	i	ᐅ ᐆ	u	ᐊ ᐋ	a	ᐦ	h
ᐱ ᐲ	pi	ᐳ ᐴ	pu	ᐸ ᐹ	pa	ᑉ	p
ᑎ ᑏ	ti	ᑐ ᑑ	tu	ᑕ ᑖ	ta	ᑦ	t
ᑭ ᑮ	ki	ᑯ ᑰ	ku	ᑲ ᑳ	ka	ᒃ	k
ᒋ ᒌ	gi	ᒍ ᒎ	gu	ᒐ ᒑ	ga	ᒡ	g
ᒥ ᒦ	mi	ᒧ ᒨ	mu	ᒪ ᒫ	ma	ᒻ	m
ᓂ ᓃ	ni	ᓄ ᓅ	nu	ᓇ ᓈ	na	ᓐ	n
ᓯ ᓰ	si	ᓱ ᓲ	su	ᓴ ᓵ	sa	ᔅ	s
ᓕ ᓖ	li	ᓗ ᓘ	lu	ᓚ ᓛ	la	ᓪ	l
ᔨ ᔩ	ji	ᔪ ᔫ	ju	ᔭ ᔮ	ja	ᔾ	j
ᕕ ᕖ	vi	ᕗ ᕘ	vu	ᕙ ᕚ	va	ᕝ	v
ᕆ ᕇ	ri	ᕈ ᕉ	ru	ᕋ ᕌ	ra	ᕐ	r
ᕿ ᖀ	qi	ᖁ ᖂ	qu	ᖃ ᖄ	qa	ᖅ	q
ᖏ ᖐ	ngi	ᖑ ᖒ	ngu	ᖓ ᖔ	nga	ᖕ	ng
ᙱ ᙲ	nngi	ᙳ ᙴ	nngu	ᙵ ᙶ	nnga	ᖖ	nng
ᖠ ᖡ	łi	ᖢ ᖣ	łu	ᖤ ᖥ	ła	ᖦ	ł

이누이트의 문자 이눅티투트 점이 찍힌 것은 장모음 발음으로, 알파벳 표기에서는 모음을 중복하여 쓴다.

이누이트인들에게는 고유의 언어는 있었지만 문자가 없었습니다. 그래서 19세기 말의 선교사들은 음절 단위로 기능하는 문자를 만들어 성경을 가르쳤는데, 이 문자를 이눅티투트라고 부릅니다. 현재 이눅티투트는 누나부트 준주의 공식 언어로서 영어 · 불어와 함께 표기되며, 초등학교에서는 6학년까지 영어 대신 이눅티투트를 가르칩니다.

이누이트인의 음식

옛날 이누이트인들은 주로 순록과 물범 등을 사냥하거나 생선을 잡아먹었는데, 오늘날에도 이 식습관은 거의 바뀌지 않아서 도시에 사는 사람들도 주말마다 직접 사냥과 낚시를 하기도 합니다. 특히 북극 지방에서 잡히는 악틱차라는 생선은 이누이트인들이 즐겨 먹는 것으로, 살짝 얼려 날로 먹거나 스테이크로 즐깁니다.

©PRM Oxford Univ

악틱차를 잡는 이누이트인 이누이트인의 주식 중 하나인 악틱차는, 얼음에 구멍을 뚫고 물개 지방을 미끼로 삼아서 낚는다.

캐러부와 사향소, 반달무늬물범의 고기도 많이 먹으며, 몸을 따뜻하게 하기 위해 수프로 만들거나 생간과 피를 마시기도 합니다.

제 9 장

이상한 노래

흐흥~.

우리 집 전용 비행기로 가니
편하고 좋지 않니?
세 시간이면 도착하는
일반 항공 노선도 있는데,
여전히 오버라니까!

아참, 아까 보니
빌리 형은 웬 짐이
그렇게 많아요?
난 짐을 마음껏
실을 수 있어서
좋은데 뭘.

집에서 부탁 받은 게
좀 있거든.

북극권이라는 게
실감 나네요.
누나부트 준주에서는 필요한 생필품들을
오타와 같은 대도시에서 실어 나르기 때문에
모든 게 비싸. 그래서 집에 갈 때마다
이것저것 잔뜩 사게 돼.
헥
헥
헥

*주도(州都) 주를 행정 단위로 하는 나라에서 정치, 문화 등의 중심 도시.

휘잉~
휘이이~잉
윽, 바람이……!

추위가 정말
대단한데요!
~으~추워!
응, 눈도 많이 내렸나 봐.
추울 땐 영하 40℃까지
내려가기 때문에
옷을 단단히 껴입어야 돼.

크크크…
뭐야~,
이래서는
스타일이
안 살잖아!
쿵
쿵
쿵
쿵

아직 몸이 회복되지 않았으니
따뜻하게 해야 해요.
됐어!
펄럭

휘이이~잉
쿵
헉!
추, 추워!

덜덜덜
빌리!

아버지!
빌리!

안녕하세요.
그래, 이누이트 자치주에 온 것을 환영한다!

어서 차에…….

추워서 먼저 탔어.
바람 들어오니 얼른 문 닫고 히터도 좀 더 세게 틀어 주세요!
……
……

휘이이잉~

배고프지? 잠깐만 기다려라. 곧 음식을 해 줄게.
네!

생각보다 옷이 평범하네요.
원래 이런 가죽옷을
입지 않나요?
하하하!
그건 이누이트의
전통 의상이야. 가죽옷도
평상시에 잘 입지 않는단다.
사냥 나갈 때나 입지.

여기도 많이 현대화되어서
이젠 옛날 방식으로 살지 않아.
평범한 캐나다 사람들처럼
살고 있지.
치이~
가죽옷을 구경하고
싶었는데 아쉽네요.

그보다 아저씨와 아주머니는
저희에 비해 옷을 좀
얇게 입으신 것 같아요.

와!
하하, 이누이트인들은 워낙
추위에 적응이 되어 있어서,
아주 큰 추위가 아니면
그렇게 춥다고 느끼지 않아!
영하 10℃ 정도야 더운 날씨지.
영하 10도가 더운
날씨라고요?

자, 음식이 나왔습니다.
맛있는 고기 요리예요.
어제 사냥한
캐러부 고기란다.
캐러부
고기라면, 혹시
최상급 스테이크?
캐러부라면 툰드라 순록이잖아?
어멋, 이건
생고기잖아요!
우약!
여기 익힌
스테이크도
있단다.
하하
후유, 깜짝
놀랐어요.
하지만 먹어 보면
생고기가
훨씬 맛있단다.
캐러부 고기
윽!
소금을 살짝 뿌려서 먹으면
부드럽고 맛있어!
토리도 먹어 볼래?
괘, 괜찮아요.
우리나라에도 생소고기를 양념한
육회라는 음식이 있지만,
전 잘 못 먹어요.

참, 빌리야.
지난번에 전화로
물어본 것 말이다.
네.

아, 혹시
알아보셨어요?

그래, 이칼루이트 시 외곽에
'일곱 개의 얼음집' 이라
불리던 마을이 있다는구나!

정말이에요?!
깜짝

거기가 어디예요?
이, 일단 먹고
데려다 줄게.
버럭

일곱 개의 얼음집이
진짜 있었어!
크크크...
응, 암호가 다
풀리고 있어.

일 끝나는 대로
바로 집으로 갈게요.

그래, 조심하거라.
고맙습니다.
꾸벅
메르시 보쿠
(감사합니다).

바이 바이~!
부우웅

지금부턴
어떻게 해야 돼?
일단 보물과 관련된
노래가 있는지
물어보자!

노래?
암호에 따르면 '일곱 개의 얼음집에서 그들의 노래를 들어라' 라고 했거든요. 일곱 개의 얼음집이란 이 마을을 뜻하는 거고.
그들의 노래란 당연히 이 마을에 사는 이누이트족의 노래 아니겠어요?

그거 이상하네. 혹시 이누이트족의 노래 들어 봤어?
아뇨.

내가 불러 볼 테니까, 잘 들어 봐.
음음
우쿠♪ 우쿠
씨익~
덥석!
어, 엄마야!
우쿠

푸하하~,
뭐 하는 거야?
나도 초등학교 때
배운 거라 잘 못 부르는데,
아무튼 이누이트족의
전통 노래는 대충 이런 거야.
동물의 소리를 흉내 내어
목구멍 깊숙한 곳에서
울려서 내는, 목 울림 노래야!
옛날 사냥에서 유래한 거지.
와하하~

그러면 노래에 가사가
없단 말이에요?
보물이 묻혀 있는
장소를 알려 주는
말이 없다고요?
응, 동물들의
소리라니까.

그럼 '그들의 노래'라는 건
대체…….
털썩~
역시 보물보다
그 봉~ 어쩌고 하는 나쁜 놈을
먼저 잡아야겠어!
그냥 집으로
돌아가시죠,
아가씨.
빠드득~!

어떡할래?
집으로 돌아갈까?
으음~

이대로 포기할 순 없어요.
보물에 대한
전설이라도 있는지
확인해 봐야겠어요!
벌떡

좋아, 그럼 이 마을의
촌장님을 찾아가 보자!
네!

흠~

보물? 그런 전설은
들은 적 없는데.
후우우~

근데 갑자기 웬 보물이냐?
며칠 전에도 보물에 관해
묻고 다니는 사람이 있었거든?
봉팔이구나!
움!

벌컥
그 사람
지금 어디 있죠?!

아, 아마 울루타 할머니에게
갔을 거야.
헉!
그게 누군데요?
우리 마을에서
제일 나이 많은 할머니야.
100살이 넘었다는
얘기가 있지.
번쩍
그 할머니라면,
보물에 관한 전설을
알 수도 있겠군요!
감사합니다.
저희는 이만
가 볼게요!
당장 봉 씨를
잡고야
말겠어!!
그 할머니는……,
그게 참…….

뭐라고?
헉헉, 할머니 보물요!
보물 이야기요!
벌써 열 번째예요!
그 나쁜 놈 어딨냐고요!
두둥
음
따라와.
?
휘이이이이~~잉
대체 어딜
가는 거예요?

이글루
지을 수 있어?
멈칫
네?

이글루라면
얼음집 말하는 거지?
속닥
속닥

옛날 우리 집이
그리워.
옛날엔 온 가족이
이글루에서
즐겁게 살았는데,
이젠 없어.
이누이트인들도
이제 더 이상
이글루를 짓지 않아.
모두 현대화된 집에서
살고 있지.

할머니, 그럼 얼음집을
지어 드리면,
나쁜 녀석이
어디 있는지
얘기해 주실
거예요?

바들~
바들~
그 나쁜 놈이
보물 얘기 해 주면
이글루 지어 준다 하고
도망갔어!

혹시 이름이
봉팔이
아닌가요?

휙
이글루 안 지어 주면
말 안 해!

알았어요, 지어 드릴게요!
집사, 토리야!
어떻게 좀 해 봐!
뚝!
아… 아가씨
내… 내가 어떻게?

찌릿
나도 이글루 만들 줄 몰라.
여기서도 행사나 축제 때
선수들이 나서서 짓는다고.

이누이트인이면
그 정도는 알아야죠!
이누이트인 맞아요?
휘이이이~잉!
요즘 누가
이글루에서 살아?
여기도 이글루 만들 수
있는 사람은 거의 없어.

집사,
방법을
찾아봐!
이누이트인
반납해요!
씩씩
씩씩
네, 인터넷에서
찾아볼게요!

여기
방법이
있어요!

음~
일단 눈이 단단하게 쌓인 곳을 찾아서, 눈 써는 톱으로 눈 블록을 잘라 내요!
40cm
20cm
1m
눈 블록의 길이는 1m, 높이 20cm, 깊이는 40cm 정도. 크기가 정해진 건 아니에요.
이글루를 세울 곳에 둥근 원을 그려서 바닥을 파낸 후,
눈 블록을 돌려 가며 쌓는 거예요.
왜~ 나만 일하는 거야?
자세한 방법은 <빙하에서 살아남기>를 참조해 주세요.
내 거!
아아, 옛날 우리 집이야!
자, 할머니.
약속대로 이글루를 만들어 드렸으니까, 그 나쁜 녀석 얘기를 해 주세요.
꼬옥

엄마야!
왜 그러세요?
할머니, 어서
얘기해 달라니까요!
덥석
헉!
욥바아~ 욥바야~
목 울림
노래야!

움바아~~
바아아~
바아아~
나도 알아!
그런데 갑자기 왜
노래를 부르냐고?!
게다가 엄청
시끄럽잖아!
잠깐!

바아아아~
바아아아~
밖에서 무슨 소리가
들리는 것 같아!

아, 이건
물범들의
울음소리야!
바아아아아
바아아아아

유네스코 선정 세계 유산

헤드-스매쉬드 버팔로 지대

(Head-Smashed-in Buffalo Jump Complex : **문화**, 1981년 **지정**)

앨버타 주 남서쪽에 있는, 많은 양의 버팔로 뼈와 원주민 부락의 유적지입니다. 이곳에는 북미에서 가장 크고 오래된 버팔로 사냥터가 잘 보존되어 있어서, 6천 년 전 북아메리카 원주민들이 버팔로 떼를 유인하여 절벽에 떨어뜨려 잡던 전통적 사냥법과 의식 등을 잘 알 수 있습니다.

나하니 국립 공원(Nahanni National Park : **문화**, 1978년 **지정**)

캐나다 노스웨스트 준주 남서부의 나하니 강과 플랫 강을 따라 펼쳐진 약 4,765km²의 좁고 긴 지역으로, 이곳에 살았던 나하니족의 이름에서 지명을 따왔습니다. 인간의 손이 많이 미치지 않은 야생 상태의 버지니아 폭포와 대협곡 등 뛰어난 경관을 자랑하며, 늑대와 회색 곰 등 야생 동물의 중요 서식지입니다.

©Shutterstock

세인트 존 성공회 교회 1754년 처음 세워진 건물로, 북아메리카에서는 최상의 상태로 보존된 식민 시대의 건축물이다.

루넨버그 구시가지

(Lunenburg Old Town : **문화**, 1995년 **지정**)

노바스코샤 주에 있는 식민 도시의 유적으로 프랑스인들이 처음 개척하였지만 1753년에 청교도들이 대거 이주하면서 영국 식민 도시로 건설되었습니다.

식민 도시 계획의 기준에 따라 직사각형의 격자 모양으로 디자인되었으며, 주민들은 목조 가옥을 잘 보존하여 지금도 세인트 존 교회 등의 18세기의 건물과 19세기의 건축물들이 옛 모습 그대로 남아 있습니다.

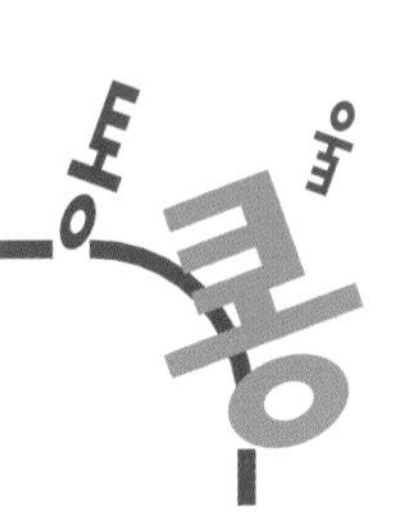

앨버타 주 공룡 공원(Dinosaur Provincial Park : **자연, 1979년 지정**)

세계 최대의 공룡 채집지로 지금까지 60여 종의 중요 공룡 화석 5,500여 점과 7,300만 년 된 나무 화석, 공룡 무덤 등이 발견된 곳입니다. 또 이곳의 돌들은 거의 7,500만 년 전 백악기 시대 공룡 화석이기도 합니다. 앨버타 주는 이 지역에서 채취한 공룡 화석을 복원하고 전시하기 위해 인근 배드랜드에 '로열 공룡 박물관'을 세워, 화석을 완벽하게 복원한 800여 마리의 공룡을 전시하고 있습니다.

©Shutterstock

앨버타 주 공룡 공원 오랜 세월 빙하와 폭우로 침식된 황무지이지만, 수십만 점의 공룡 화석이 발견된 공룡 화석의 보고이다.

퀘벡 역사 지구(Quebec Historic Area : **문화, 1985년 지정**)

17세기 프랑스 개척자 사무엘 드 샹플렝이 건설한 곳으로, '강이 좁아지는 곳'이란 뜻의 원주민어에서 유래한 지명입니다. 프랑스를 축소해 놓은 듯한 작고 아담한 도시이며, 샤토 프롱트낙 호텔이 있는 언덕을 기준으로 어퍼 타운(upper town)과 로어 타운(lower town)으로 나뉩니다. 어퍼 타운에는 교회, 수도원, 성채, 의사당 같은 종교와 행정 건물들이 남아 있고, 로어 타운과 세인트로렌스 강 주변 지역에는 식민지 도시의 상징물들이 세워져 있습니다.

©Shutterstock

퀘벡의 샤토 프롱트낙 호텔 프랑스보다 더 프랑스다운 도시 퀘벡의 상징으로, 세인트로렌스 강이 내려다보이는 아름다운 전망으로 유명하다.

제 10 장

황금과 보석 비가 내리는 곳

뭐야, 그럼 보물이니
나쁜 놈이니 하는 말이
다 거짓말이었어?
밥 줘~!
버럭
조용히 좀 해!
깜짝!
집사 아저씨,
혹시 과자나 사탕
갖고 계세요?
카트린느 아가씨의
비상 간식이 있긴
합니다만…….

할머니,
이거라도 드세요.
응!
냠냠

이제
어떡할 거야?

맛있는 걸 줬으니,
너한테만 보물 편지를
보여 줄게.

네? 이게 뭔데요?
어, 이건?!

뭐야, 이건 어느 나라 글자야? 상형 문자 같은데?
샤샥
그건 누나부트 주의 공식 언어인 '이눅티투트' 야!

잘 아는구나. 누나부트 준주에서는 항상 영어와 이눅티투트를 같이 표기해.
Iqaluit
STOP
하지만 이누이트인의 60%가 우리의 언어인 이눅티투트를 모르지. 그래서 초등학교에서는 이눅티투트를 의무적으로 가르치고 있어.
아마 울루타 할머니가 예전에 보물의 단서를 써 놓으셨나 봐.

무슨 뜻인지 빨리 해석이나 해 줘요!
정말 시끄럽군!

스물다섯 번째 물범 숨구멍.
북극곰이 잠을 자는 곳.
절벽의 끝이 보이면 기다리고 또 기다려라.
하늘에서 어둠의 신이
황금과 보석 비를 내린다.
황금과 보석이래!
꺄~!
물범 숨구멍과 북극곰?
어둠의 신은 또 뭐지?
황금과 보석 비라니, 진짜 동화 같은 얘기잖아?
어머, 동화랑 현실이 뭐가 달라요?
나 같은 공주님이 현실에도 있는데.
안 그러니, 토리야?
후후훗!
흠흠…
여러 가지가 맘에 걸려.
물범의 숨구멍과
북극곰이 자는 곳이라…….
뭐가 걸려?
단서가 있으니 어서
찾으러 나가야지!
봉 어쩌고 하는
그 나쁜 놈이
먼저 갔을지도
모르잖아?
끙
스윽

집사,
어서 출발 준비해!
네, 아가씨!
휘이이이잉~
꽁
꽁

질질질

자, 잠깐 사이에 이렇게 추워지다니…….
으~으~

블리자드는 엄청난 눈보라를 동반하는
강풍이야. 이대로 나가면 위험해.
급한 대로 이글루 안에서 피하자.
오들오들
엣취!

아, 아가씨.
저 눈보라가 멈출 때까지
기다려야 될 것 같아요.
덜덜덜…

물범 숨구멍이란
얼어붙은 바다 속의 물범들이
숨을 쉬기 위해 뚫어 놓은 구멍이야.
!!
사냥꾼들은 그 숨구멍에서
물범이 올라오길 기다렸다
사냥을 하지.

그리고 북극곰이 잠을 자는 곳이란
암컷 북극곰이 동면을 하거나 새끼를 낳기 위해
눈으로 굴을 파 놓은 곳을 가리키는 거겠지.

그러니까, 스물다섯 번째
물범 숨구멍이랑 북극곰의
눈굴을 찾으면 되잖아.
25번째

그게 지금도 똑같이
있을 거란 보장이 어딨어.
맞아, 울루타 할머니의 편지도
아주 옛날부터 전해 온
이야기를 쓴 것 같고 말이야.
어?

그럼 혹시
보물이 있는 장소는,
물범들의 서식지와
관련 있지 않을까요?
아까 물범들의
울음소리도
들었잖아요.
바아아아
바아아아

물범 사냥을 나간다고?
거기 가면 물범 많아.
우리 아빠도 옛날에
많이 잡아다 줬어!
거기가
어딘데요?

쌍둥이 절벽!
여기서 북동쪽으로 가면
바닷가에 똑같은 모양의
절벽 두 개가 있는데,
거기 물범이 많이 산다고
아빠가 그랬어!

좋아, 그 정도면
가 볼 만하겠어.

그래도
범위가 너무
넓은데…….
흠…

블리자드도 그친 것 같으니
출발하자고!
GO! GO!

휘이이이잉~

눈이 많이 쌓였는데, 이동하려면
스키두가 필요하지 않을까?
슈아아악

촤악

하하하~,
이거 미안해서 어쩌나.
이 마을에는 스키두가
딱 두 대뿐이라는군!
봉팔이!

블리자드가
그치기만 기다렸지!
푸하하~
보물은
우리 거다!!
너 잡히기만 해 봐!

저 사람들도 보물이 있는
장소를 아는 거야?
아무래도
할머니 정신이
맑을 때, 다
들은 것 같아요.
우린
스키두도
없는데,
큰일인걸.
집사,
어떻게 좀 해 봐!
능력을 보여 달란
말이야!
예…….
핫ㅡ!
다
다
다
다
다다다다다

최고로 빨리 달리는
개 썰매를 빌려 왔어요!
헥
헥
헥
나이스!

끙
개 썰매가
스키두를
따라잡을 수
있을까?

하하, 도토리 녀석!
스키두가 없으니
포기하는 게 나을 거다!
슈우우우웅

엇, 보스!
도토리 녀석이
개 썰매로
따라오고 있어요!
개 썰매라고?
가소롭군!

하지만
방심할 순 없지!
철컥

절대 따라오지
못하게 해!
예, 보스!

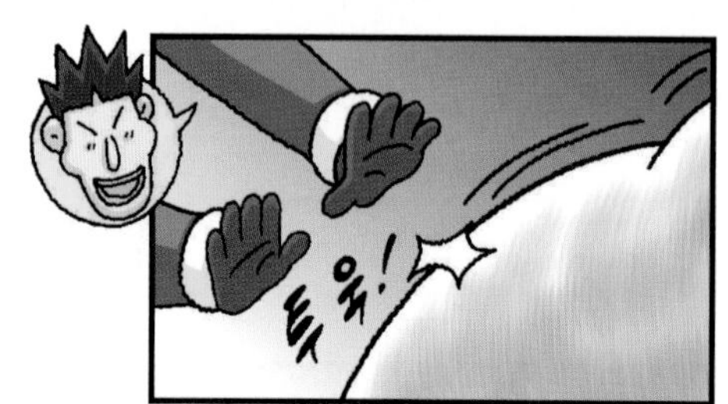
투욱!

!
뒤뚱~

조심해요!

뭐야~!!

어머, 귀여워라.
물범 아냐?
반달무늬 물범의 새끼야.
흰색 털이 자라면서
회색으로 색이 변하지.

어, 여기 물범 사냥용
창이 있네.

뭐라고요? 지금
이 귀여운 애를
사냥하려는 거예요?!
아, 아냐!
아가씨, 저쪽에도
물범들이 있어요!

어머, 혹시 이 근처가
물범 서식지 아냐?
그럼 절벽을
찾아봐야지!

잠깐만요.
물범 숨구멍이
안 보여요!
뭐?

그럴 리가!
물범이 이렇게 많은데,
숨구멍도 있겠지.

우아앗, 너희들
어디 가는 거야?
컹컹컹컹~

장과 얀센이잖아!
고기
다다다

나쁜 놈들!
누가 봉 어쩌고의 부하 아니랄까 봐,
하는 짓이 똑같아!
얘들아,
돌아와~.
돌
눈
척

샤악
으악!
따악~
콰앙!

쨍
쨍
쨍

휴우, 물범 숨구멍에서
절벽 사이에
있을 듯한데…….
이 넓은 곳을
언제 다 파 보나?

부릉
부릉
왜 이렇게
늦었어?
홱!

도망가 봤자,
내 손바닥 안이야!
네 부하들이
스키두를 양보
안 하려고 해서
늦었지!
끼익
다다다
다다~

오랜만이네요,
마드모아젤.
장, 얀센 이 바보들!
제대로 해내는 것도 없고!
흥! 이제
우아한 척은
소용없어!

뭐, 뭔가
오해가 있었던 것
같군요.

봉팔이! 이 넓은 곳을 다 파서
보물을 찾겠다는 거야?

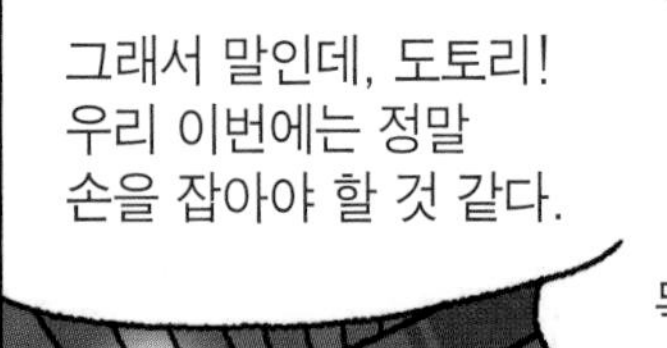
그래서 말인데, 도토리!
우리 이번에는 정말
손을 잡아야 할 것 같다.

같이 찾아서
똑같이 나누자고.

어때요, 마드모아젤?
흥! 내가 왜?!
우리 집에 전화 한 통이면, 여기
파 보는 것쯤은 일도 아니라고!
흥!
그럴 필요 없어,
카트리느.

보물은 여기 어디에도
묻혀 있지 않아.
탁탁
그럼 어디
있다는 거야?

울루타 할머니가
하늘에서 내린다고
했잖아.
그건 그냥
옛날이야기라며?

아까부터 한 생각인데,
여기 와 보니
더욱 확실해졌어.
'어둠의 신이
하늘에서 황금과
보석 비를 내린다.'

그, 그렇다면
지금 네가 하려는
얘기가 혹시……?!

응, 아마도
보물은…….
씨익

앗! 저, 저기 봐!

와아,
굉장해!
오로라야!!
깡총 깡총

그래, 태양에서 나온
플라스마의 일부가 지구 대기의
공기 분자와 반응하여
빛을 내는 현상!

또는 그토록 많은
사람들이 찾아 헤맨,
카르티에 선장의 보물이지!
뭐?!

말도 안 돼,
전부 헛소리야!
진짜 보물은 여기
어딘가에 묻혀 있어!
꼭 찾아내고 말 거야!
퍽
퍽

번쩍!

크르르
헉!

고, 곰아.
지, 진정해…….
크르르

으아아악
크르르르르릉

캐나다 원주민들은 오로라를
신의 영혼이라고 부르며 신성시한대.
신혼부부의 첫날밤에
오로라가 나타나면, 천재 아기를
낳는다는 이야기까지 있지.

아마 원주민 추장도 오로라를
신성한 보물이라 여기고,
카르티에 선장에게
얘기했을 거야. 하지만 모두
진짜 보물로 오해한 거지.

또 북위 68°에서 70°는
오로라가 많이 출현하는 오로라 대와 겹쳐.
오로라 대는 북반구와 남반구 모두
위도 65° 이상의 지역에서 나타나지.
60°(위도)
70°
80°
극점
오로라 대

뭐야……,
허무해.
이런, 앞으로 오로라는
네가 원하는 보물이
될지도 몰라.

오로라에서 새로운 에너지가
발생된다는 사실이 밝혀졌거든!
지금도 에너지
개발 경쟁을 하는
세계 각국의 과학자들이
오로라 연구에
힘쓰고 있어.

미래의 또 다른
에너지 자원이 될지도
모르지……. 우앗!
웬 바람이지?!
투다다다
앗!

슈우우웅~
척

카트린느!

아, 아빠!
아빠가 어떻게?!
뭐야?!
아가씨 시계에
위치 추적 장치가
달려 있어요.

집사! 카트린느를
잘 보살피라고 했지,
사고 치는 걸 도와주라고 했나?
지난번에 제멋대로 사들인
경매 사이트는 망하기 직전이라고!
죄송합니다.

회사를 사?!
플랜 M의 M은 Money의
앞 글자였던 거야?!
띠~옹!

<캐나다에서 보물찾기> 마침.

<베트남에서 보물찾기>도 기대해 주세요!

동남아의 중심, 배낭여행자의 성지!

방콕에서 보물찾기

세계 도시 탐험 만화 역사상식 시리즈

도심 속 여유를 즐길 수 있는, 친절한 '천사의 도시' 방콕!

먹방 채널의 구독자가 점점 줄어 고민하던 팡이!
그때 마침 사라진 보물을 찾아 달라는 의뢰를 받고,
방콕으로 떠나게 됩니다. 과연 팡이는 사건 해결과
태국 음식 먹방, 두 마리 토끼를 모두 잡을 수 있을까요?
태국의 수도, 화려한 도시 방콕에서의 보물찾기 대모험!

글 포도알친구 | 그림 강경효 | 값 11,000원

근간 예정 | 이스탄불에서 보물찾기

Mirae N 아이세움 서울특별시 서초구 신반포로 321 미래엔 고객센터 1800-8890 http://cafe.naver.com/iseum

한층 성장한 실력과 재미!

웃고, 즐기고, 체험하는 초등 과학의 모든 것!

우아! 재미난 실험 이야기 속으로 빨려 들어간다!

시즌1 완간

행성, 성간 물질, 빅뱅, 블랙홀 등 빅뱅 우주론에 관한 다양한 과학 상식!

거대한 폭발처럼 치열했던 4강전의 결과가 발표되자, 한국 B팀과 미국 팀은 고요한 적막에 휩싸인다. 그리고 대결장에는 소중한 추억들이 반짝이기 시작하는데……. 대결이 끝난 후 새롭게 마주할 우주는 과연 어떤 모습일까?

글 스토리 a. | 그림 홍종현 | 값 12,800원(실험 키트 포함)
감수 박완규 남한고등학교, 이창덕(주)사이언피아

신비로움이 가득한 실험 키트
우주 성운 만들기

솜과 식용 색소, 물풀을 이용하여 우주 성운을 만들어 보고 아름다운 색으로 빛나는 성운에 대해 알아보세요.

과학 교과 연계
초등학교 과학 5-1 3. 태양계와 별 중학교 과학 3 7. 별과 우주

*《내일은 실험왕》 시즌 2, 2021년 출간 예정

전권 실험 키트 증정!

체험으로 만나는 과학, 재미있는 실험 키트

총 50종의 다양한 키트로 과학 원리를 이해한다!

지구과학
내일은 실험왕 ⑨ 날씨의 대결 **풍향·풍속·풍기대**
내일은 실험왕 ㉗ 낮과 밤 **자전하는 지구 모형**

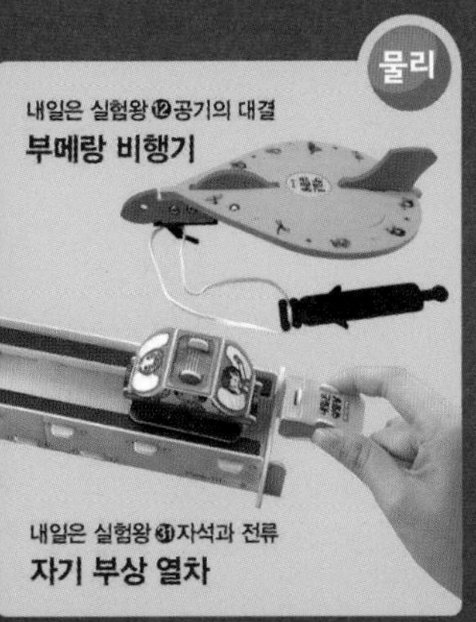

물리
내일은 실험왕 ⑫ 공기의 대결 **부메랑 비행기**
내일은 실험왕 ㉛ 자석과 전류 **자기 부상 열차**

화학
내일은 실험왕 ⑬ 물질의 대결 **탱탱볼 만들기**
내일은 실험왕 ㉝ 바이러스와 면역 **보글보글 비누 만들기**

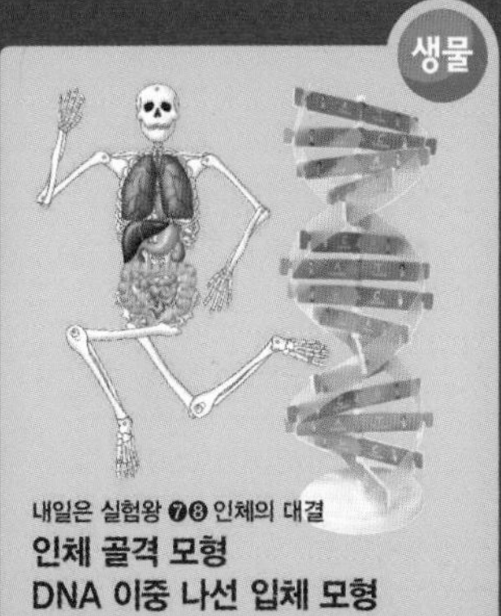

생물
내일은 실험왕 ⑦⑧ 인체의 대결 **인체 골격 모형** **DNA 이중 나선 입체 모형**

산성·염기성 대결	02 힘의 대결	03 빛의 대결	04 생물의 대결	05 전기의 대결	06 환경의 대결	07 인체의 대결(범우주 편)	08 인체의 대결(강원소 편)	09 날씨의 대결	10 열의 대결
물의 대결	12 공기의 대결	13 물질의 대결	14 지질의 대결	15 지진의 대결	16 파동의 대결	17 자극과 반응의 대결	18 식물의 대결	19 지형의 대결	20 바다의 대결
변화의 대결	22 지구 역사의 대결	23 달의 대결	24 에너지의 대결	25 일과 도구의 대결	26 탄생과 성장	27 낮과 밤	28 곤충과 거미	29 부피와 부력	30 연소와 소화
자석과 전류	32 기체와 공기	33 바이러스와 면역	34 무게와 균형	35 생태계와 환경	36 태양과 행성	37 용해와 용액	38 속도와 속력	39 영양소와 소화	40 원소의 대결
해양의 대결	42 중력과 무중력	43 화산의 대결	44 로켓과 핵무기	45 독과 해독	46 미세 먼지와 대기	47 감염과 전염병	48 방사능 물질	49 진화의 대결	50 빅뱅 우주론

서울특별시 서초구 신반포로 321 미래엔 고객센터 1800-8890 http://cafe.naver.com/iseum Mirae N 아이세움

생생한 관찰 스토리와 귀여운 생물 도감이 만났다!

자연·생물 콘텐츠 인기 키즈 크리에이터, 에그박사와 함께 떠나는 관찰 탐험!

생물에 대한 호기심 가득한 에그박사,
똑똑한 웅박사, 용감한 양박사와
함께 신기하고 놀라운 자연 생물의
세계 속으로 떠나 보아요!

원작 에그박사 | 글 박송이 | 그림 홍종현
감수 CJ ENM 다이아티비 | 값 12,000원

근간 예정 | 에그박사 ❷

Mirae N 아이세움 서울특별시 서초구 신반포로 321 미래엔 고객센터 1800-8890 http://cafe.naver.com/iseum ©CJ ENM / 디에그(The egg)